RUSSISCHE GOLDSCHMIEDEKUNST
VOM XVII. JH. BIS ANFANG DES XX. JH.
AUS DEM MOSKAUER KREML UND DER
LENINGRADER EREMITAGE

RUSSISCHE SCHATZKUNST

AUS DEM MOSKAUER KREML UND DER LENINGRADER EREMITAGE

Mit 98 Abbildungen auf 60 Farbtafeln

VERLAG PHILIPP VON ZABERN · MAINZ AM RHEIN

RUSSISCHE SCHATZKUNST

AUS DEM MOSKAUER KREML UND DER LENINGRADER EREMITAGE

MUSEEN DER STADT KÖLN
WALLRAF-RICHARTZ-MUSEUM
20. NOVEMBER 1981–14. FEBRUAR 1982

Katalog: G. N. Komelowa, M. W. Martinowa, I. N. Ucha-
nowa unter der Mitarbeit von M. D. Maltschenko
Redaktion: Anna Czarnocka
© 1981, Ministerium für Kultur der UdSSR
Übersetzung und Satz: Hagedornsatz, Berlin-Lankwitz
Lithos: Rolf Fischer, Eppertshausen
Druck: Zaberndruck, Mainz
Bindearbeiten: Triltsch, Würzburg

ISBN 3-8053-0569-9

Kat. Nr. 102

Die sowjetischen Museen sind in der Welt wegen ihres Reichtums an großer Kunst bekannt. Neben europäischen Spitzenwerken genießt die russische Malerei des 19. Jahrhunderts einen hohen Rang. Auch die russischen Beiträge zur Kunst des 20. Jahrhunderts sind bedeutend, wie sich immer deutlicher zu erkennen gibt. Weniger bekannt ist, wie sehr sich in Rußland seit dem 16. Jahrhundert eine ganz eigenständige Goldschmiedekunst herausgebildet hatte, die Kunstwerke von erlesener Schönheit hervorbrachte. Die Wesensart des russischen Volkes kommt darin sprechend zum Ausdruck. Solche Werke lassen die Ausstellung „Russische Schatzkunst aus dem Moskauer Kreml und der Leningrader Eremitage" zu einem großen Ausstellungsereignis in der Bundesrepublik Deutschland werden.

Ich bin dem Kulturministerium der UdSSR dankbar, weil es außerordentliche Meisterwerke für diese Ausstellung im Wallraf-Richartz-Museum der Stadt Köln großherzig zur Verfügung gestellt hat. Solcherart wird es dem Publikum in Köln wie im Lande Nordrhein-Westfalen möglich, Kunstwerke kennenzulernen, die bisher in diesem Umfang hierzulande noch nicht vorgestellt werden konnten.

Dem Kulturaustausch zwischen den Völkern kommt in unserer Zeit eine erhöhte Bedeutung zu. Gegenseitiges Kennenlernen erleichtert das friedliche Zusammenleben. So begrüße ich es auch, daß diese Ausstellung den Beginn eines fruchtbaren Ausstellungsaustausches abgeben soll, den das Kulturministerium der UdSSR mit der Stadt Köln und weiteren Städten des Landes vereinbart hat.

Jürgen Girgensohn
Kultusminister des Landes Nordrhein-Westfalen

Grußwort an die Besucher der Ausstellung

Zum ersten Mal wird in der Bundesrepublik Deutschland, in den Sälen des ältesten Museums der Stadt Köln – des Wallraf-Richartz-Museums – eine Sammlung von Meisterwerken der angewandten Kunst und der Schatzkunst russischer Meister aus den Sammlungen der Staatlichen Eremitage und der Museen des Moskauer Kremls präsentiert. Indem ich die Besucher der Ausstellung der russischen Schatzkunst herzlich grüße, gebe ich der Hoffnung Ausdruck, daß diese ein großes Interesse hervorrufen und zu einer tieferen Kenntnis der Nationalkultur unseres Landes durch die Bevölkerung der Bundesrepublik Deutschland beitragen möge.

In den letzten zehn Jahren haben unsere Länder viel geleistet, um einander besser kennenzulernen und zu verstehen. Eine besondere Rolle bei der Schaffung einer Atmosphäre gegenseitiger Verständigung spielen die wechselseitigen Besuche der führenden Repräsentanten unserer Staaten. Ein Ereignis historischer Tragweite verspricht der in wenigen Tagen beginnende Besuch des Generalsekretärs des ZK der KPdSU, Vorsitzenden des Präsidiums des Obersten Sowjets Leonid Iljitsch Breshnew in der Bundesrepublik Deutschland und seine Gespräche mit dem Bundeskanzler Helmut Schmidt und anderen Staatsmännern der Bundesrepublik zu werden. Dieser Besuch wird ein Meilenstein auf dem Weg zur internationalen Entspannung, zur Erhaltung und Sicherung des Friedens in Europa, zur weiteren Entwicklung der vielseitigen Beziehungen zwischen der Sowjetunion und der Bundesrepublik Deutschland sein.

Erst unter den Bedingungen der Entspannung ist die Vertiefung der kulturellen Beziehungen zwischen unseren Ländern möglich geworden. Ein überzeugendes Beispiel des Ausbaus der kulturellen Zusammenarbeit ist der gegenseitige Austausch der Kunstschätze, die den Nationalbesitz unserer Völker darstellen.

In dieser Ausstellung russischer Schatzkunst sind charakteristische Werke aus dem 17.–20. Jahrhundert vertreten. Sie bezeugen die nationale Eigenart russischer Juweliere, die Traditionen ursprünglichen Volksschaffens, die mit besonderer Sorgfalt in der Sowjetunion gepflegt werden. Die Ausstellung gibt Gelegenheit, die in den bedeutendsten Zentren der Schatzkunst Rußlands entstandenen Werke von hohem künstlerischem Wert kennenzulernen.

Wir glauben, daß diese Ausstellung der Festigung der kulturellen Zusammenarbeit zwischen der Bundesrepublik Deutschland und der Sowjetunion dienen wird.

Zudem bin ich sicher, daß alle Besucher der Ausstellung einen wirklichen ästhetischen Genuß bei der Betrachtung der Meisterwerke der russischen Schatzkunst verspüren werden.

Ich wünsche Ihrem Land und seinen Menschen Erfolg und Wohlergehen.

Minister für Kultur der UdSSR
Pjotr Demitschew

Geleitwort

Der Ausstellung „Russische Schatzkunst aus dem Moskauer Kreml und der Leningrader Eremitage" kommt eine besondere Bedeutung zu, da zum erstenmal mit ihr russisches Kunstgewerbe dem Kölner Museumsbesucher vorgestellt werden kann. Sie vermittelt einen nahezu geschlossenen Überblick über das kunstgewerbliche Schaffen von 300 Jahren, von dessen Existenz bislang nur der Fachmann zu berichten weiß. Bei der Auswahl der ausgestellten Objekte wurde bewußt eine Begrenzung in Kauf genommen; in der strikten Beschränkung kommt die Originalität des russischen Kunstgewerbes voll zur Geltung. Schwerpunkte mußten gesetzt werden, um die Leitlinien der Entwicklung aufzeigen zu können.

Die ältesten Ausstellungsstücke entstammen noch dem 17. Jahrhundert – also einer Epoche, in der Rußland endgültig seinen Platz in der Geschichte behaupten kann. Auffallend ist bei diesen frühen Arbeiten die Feinheit des Ornamentes, das Interesse an der Kalligraphie, an der kunstvollen Linie. Die stilistischen Abhängigkeiten vom byzantinischen Vorbild werden abgelegt; man findet eine eigene Formensprache, die sich selbstbewußt in der europäischen Kunst behauptet. An der Mehrzahl der ausgestellten Stücke läßt sich ablesen, wie weit sich ein eigenständiger russischer Stil im Laufe der Zeit herauszubilden vermag. Schwierige Techniken werden kunstvoll gehandhabt, so die Niello-Technik, das Filigran und später auch das farbige Email. Gerade die Niello-Arbeiten verlangen den kundigen Zeichner und den erfahrenen Graveur; das Filigran seinerseits bestrickt durch eine außerordentlich feine Komposition.

Die Goldschmiedekunst des 18. Jahrhunderts ist mit Stücken von hoher Qualität vertreten. Die Objekte bezeugen das Können der Juweliere und den erlesenen Geschmack der Stifter. Die Vorliebe für das vegetabile Ornament von nahezu graphischer Schärfe – bei einigen Stücken ist noch ein Nachhall stilistischer Elemente der italienischen Renaissance zu verspüren – fällt ins Auge. Dieses mag als ein Zeichen für den sich abzeichnenden Annäherungsprozeß russischer Meister an den westeuropäischen Formenkatalog zu nehmen sein.

Die Aufarbeitung fremder Stilelemente in der russischen Kunst sollte den Betrachter nicht zu dem irrigen Schluß veranlassen, daß es sich hierbei um schlechte Nachahmungen westeuropäischer Vorbilder handele. In der Aneignung und Weiterführung fremden Stilmaterials findet der russische Künstler seinen eigenen Stil – ein Prozeß, der häufig in der Kunstgeschichte zu beobachten ist.

Das späte 19. Jahrhundert prägt die alle Meister überragende Persönlichkeit des Carl Fabergé. Seine Werkstatt in Petersburg, sowie seine über das ganze Land verstreuten Filialen werden der bevorzugte Lieferant für den Hof und den hohen Adel. Das einzigartige Œuvre dieses Juweliers zählt heute mit Recht zu dem rarsten und kostbarsten, was der Kunstmarkt zu bieten hat.

Die Veranstalter hoffen, daß die Ausstellung dem Besucher das Verständnis für eine bislang unbekannte, äußerst faszinierende Formenwelt erschließen möge. Wer nur den Blick auf die westeuropäische Kunst richtet, wird nie den Reichtum der gesamteuropäischen Kunst in allen ihren Nuancen erfassen können; ohne den Vergleich mit den osteuropäischen Arbeiten bliebe die Betrachtung der Kunstentwicklung Stückwerk.

Bei der praktischen Vorbereitung war Dr. Götz Czymmek, Kustos am Wallraf-Richartz-Museum, eine stets hilfreiche Stütze. Das schwierige Projekt der Ausstellung förderte in freundlicher Weise der Generaldirektor der Museen der Stadt Köln, Professor Dr. Hugo Borger.

Die Veranstalter danken seiner Exzellenz dem Botschafter der UdSSR in der Bundesrepublik, Wladimir Semjonowitsch Semjonow, und dem Botschaftsrat Dr. Igor Fjodorowitsch Maximytschew, die sich mit größtem persönlichen Einsatz für das Zustandekommen der Ausstellung verwendet haben.

Dr. Rainer Budde
Direktor des Wallraf-Richartz-Museums

Das Kunstgewerbe ist ein nicht wegzudenkender Bestandteil der russischen Kunst. Ein hervorragender und attraktiver Teil davon ist die Juwelierkunst.

Die edle Oberfläche des Goldes und des Silbers, die funkelnde Durchsichtigkeit der Brillanten, der verzaubernde Glanz der Edelsteine, die schillernden Farbflecken des blanken Emails – alles dies lockte seit jeher die Meister, die die Juwelierkunst als ihr Fach wählten. Die Erzeugnisse der Begabten haben die Jahrhunderte überdauert und erfreuen auch uns Menschen des XX. Jahrhunderts.

Die russische Juwelierkunst, oder wie sie im alten Rußland genannt wurde – Gold- und Silberwerk, hat eine lange Tradition. Vortrefflich sind die zarten und farbenprächtigen Erzeugnisse der Meister aus Kiew und aus Moskau. Nicht weniger interessant sind die Arbeiten der Juweliere aus späterer Zeit – aus dem XVIII. und XIX. Jahrhundert, welche sich durch hohes künstlerisches und technisches Können auszeichnen.

Die vom Ministerium für Kultur der UdSSR in der Bundesrepublik Deutschland organisierte Ausstellung „Russische Schatzkunst" stellt charakteristische und vorzügliche Erzeugnisse aus dem XVII. bis zum Anfang des XX. Jahrhunderts vor. Die Ausstellungsstücke wurden durch die zwei größten Museen der Sowjetunion zusammengestellt – durch die Staatliche Eremitage und die Rüstkammer, letztere zählt zum großen Komplex der Staatlichen Museen des Moskauer Kremls.

Die Rüstkammer gilt zu Recht als das älteste Museum des Landes und hat nicht ihresgleichen, was den Reichtum und die Vielfalt der Kollektionen der Juweliererzeugnisse, silbernen und goldenen Geschirrs, von Waffen, Kleidung, Geweben und anderen

Gegenständen der russischen angewandten Kunst betrifft. Besonders reichhaltig sind ihre Sammlungen bestückt mit Erzeugnissen aus Moskau – die besten Musterstücke von ihnen, welche in das XVII. Jahrhundert gehören, sind in diese Ausstellung aufgenommen.

Die Sammlungen der Eremitage – eines Museums weltweiter Bedeutung, in dem unschätzbare Sammlungen der verschiedenen Kulturen aufbewahrt werden, von der Menschheit geschaffen vom Altertum und bis zu unseren Tagen – sind sowohl in der Sowjetunion als auch im Ausland weit berühmt. Es ist aber wenig bekannt, daß von der zweiten Hälfte des XVIII. Jahrhunderts und besonders intensiv im XIX. Jahrhundert vom Museum Erzeugnisse der russischen darstellenden und der dekorativen angewandten Kunst gesammelt wurden. Eine offizielle Form erhielt diese Sammeltätigkeit erst im Jahre 1941, als zugleich mit den ältesten Abteilungen der Eremitage – der westeuropäischen Kunst, der Kultur und Kunst der antiken Welt, der Länder des Fernen und des Nahen Ostens, der Numismatik – eine Abteilung der Geschichte der russischen Kultur geschaffen wurde, welche die wertvollsten Denkmäler der Kultur und der Kunst Rußlands beherbergen sollte. In diese Abteilung wurden Werke der russischen Kunst überführt, nicht nur solche, die in der Eremitage aufbewahrt wurden, sondern auch die, welche zuvor sich im Winterpalais und anderen Zarenschlössern befanden, ebenfalls die aus der Akademie der Wissenschaften und aus einer Reihe von Leningrader Museen – der Ethnographie der Völker der UdSSR, dem Artilleriemuseum u. a. Besonders reich ist in dieser Abteilung die russische angewandte Kunst des XVIII.–XIX. Jahrhunderts vertreten. Diese Sammlung, vervollständigt in den letzten 40 Jahren durch die Erwerbungen für die Eremitage, kann zur Zeit zu Recht als eine der reichsten und vielseitigsten in der Sowjetunion angesehen werden. Daher ist es kein Zufall, daß gerade die Eremitage für diese Ausstellung den größten Teil der Ausstellungsstücke liefert, hauptsächlich vom XVII. bis zum Anfang des XX. Jahrhunderts, wobei eine bedeutende Anzahl davon bisher noch nie ausgestellt wurde.

Es war unglaublich schwer, aus vielen tausend erstklassigen Kunsterzeugnissen, die in beiden genannten Museen aufbewahrt werden, nur einhundert auszuwählen, damit diese besonders eindrucksvoll und bildhaft eine Vorstellung von der nationalen Eigenart und Vielfältigkeit der russischen Juwelierkunst vermitteln. Die Ausstellung, genauso wie der einleitende Artikel zu diesem Katalog, verfolgen nicht das Ziel, die Geschichte des Juwelierhandwerks in Rußland aufzuzeigen – sie führt nur die interessantesten Seiten seiner Entwicklung vor, anhand der besten Muster die Besonderheiten der bedeutendsten Zentren der Bearbeitung von Edelmetallen und Edelsteinen in Rußland: Moskau, Petersburg, Tula, Soljwitschegodsk und einer Reihe anderer Städte. Die Ausstellung schließt auch Muster des Schaffens einzelner bekannter Meister des Juwelierhandwerks ein, russischer als auch ausländischer, die den größten Teil ihres Lebens in Rußland verbrachten und ihm ihr Talent zur Verfügung stellten.

Die Ausstellung wird mit einer Abteilung begonnen, welche der Juwelierkunst des XVII. Jahrhunderts in Rußland gewidmet ist.

Im Leben der Menschen des XVII. Jahrhunderts nahm das Kunstgewerbe einen bedeutenden Platz ein und erlebte eine ausgeprägte Blütezeit. Dieser Umstand wurde durch die künstlerischen und technischen Errungenschaften der Kunst der vorhergehenden Jahrhunderte gefördert. Eine wichtige Rolle spielte dabei auch die Erweiterung des Kreises der Auftraggeber, der demokratischer wurde und neben der Kirche und dem Hof des Zaren auch die Lehnsleute aus dem Adelsstand und die reiche Kaufmannschaft einschloß.

In diesem Jahrhundert erhalten jahrhundertealte Traditionen altrussischer Kunst ihre Vollendung; und es wird der Grundstein zu einer neuen, prächtigen Kultur gelegt. Die hemmende Rolle der kirchlichen Richtlinien schwächt sich ab. Die Wirklichkeit, die Welt der lebenden Natur, dringt immer kühner und beharrlicher in die religiöse Kunst ein, mit weltlichen Stimmungen versehend, mit Elementen des Alltagslebens auffüllend. Die Verstärkung der weltlichen Komponente wirkte sich auf die Formgebung verschiedener Gegenstände der dekorativ-angewandten Kunst, darunter auch der Juweliererzeugnisse, aus; sie bewirkte bei den Meistern ein Streben nach höherer Dekorativität, nach einer klangvollen Polychromie, nach einer üppigen Ornamentierung.

Das wichtigste Zentrum der Herstellung von Gegenständen aus Edelmetallen war im XVII. Jahrhundert die Werkstatt am Hof der Zaren – die Goldene und die Silberne Kammer des Moskauer Kremls, welche die talentierten Silber- und Goldschmiede vereinigte. Hier entstanden verschiedene Gegenstände zur Ausstattung des prunkvollen Alltags im Schloß und für die Geschenke an die Kirche.

In großer Anzahl fertigten die Kreml-Juweliere wertvolles Geschirr, welches gewöhnlich die Formen des Holz- und Keramikgeschirrs wiederholte, wie es seit Jahrhunderten in breiten Schichten des russischen Volkes verwendet wurde.

Neben verschiedenartigen Geschirrtypen wird in der Ausstellung eine goldene Kelle des Zaren Michail Fjodorowitsch gezeigt (Kat. Nr. 6). Die strenge Eleganz der Form verbindet sich in ihr mit der verblüffenden Pracht und Schönheit der künstlerischen Bearbeitung. Edelsteine in massiven geprägten Fassungen funkeln hell auf der Glätte des Metalls. Schneeweiße Perlen umrahmen aufgelegte dekorative Platten mit feinem Muster in Niellotechnik, welche von russischen Meistern viel häufiger angewandt wurde als von den Juwelieren anderer europäischer Länder. Auf dem oberen Rand ist in komplizierter Zierschrift eine Inschrift mit dem Titel des Zaren zu erkennen. Sie wird wie ein Ornament aufgefaßt. Die Verwendung von Beschriftungen in dekorativer Absicht ist eine kennzeichnende Eigentümlichkeit altrussischer Kunst. Auf den Gelagen in den Schlössern der Großfürsten und der Zaren wurde aus Schalen der seit alters her beliebte Honigwein getrunken. Gefertigt nach verschiedenen Rezepten, angesetzt auf Beeren oder Früchten, unterschieden sich die Honigweine wie nach Geschmack, so auch nach Farbe. In silbernen Schalen reichte man zum Tisch weiße Honigweine, in goldenen – rote.

Ein anderer Typ nationalen Geschirrs sind die Rundtrunkschalen (Kat. Nr. 7–10). Das sind große Schalen für einen Rundtrunk zum Wohle der Gäste. Dieses Geschirr war sehr verbreitet im Alltag der Zaren und der Bojaren und ein unumgängliches Zubehör der Festtafel. Eine mit Wein oder Bier gefüllte Trinkschale reichte man von Gast zu Gast. Bei verhältnismäßig einfachen Formen sind die Trinkschalen sehr verschiedenartig ornamentiert. Ihre Oberfläche ist oft mit rhythmischen geprägten Gräsern überzogen, die sich reliefartig von dem matten Hintergrund, ausgeführt in Schlagstempeltechnik, abheben. Eigenartig ist die künstlerische Ausführung der Trinkschale, welche dem Amtmann Pjotr Tretjakow gehörte. Im Charakter ihrer Dekorationen ist der Einfluß der westeuropäischen Kunst zu spüren. Ungewöhnlich für russische Erzeugnisse sind die Figuren an der Basis und ebenfalls ein Strauß silberner Blumen, ähnlich den Sträußen, welche die Deckel der deutschen Trinkgefäße des XVII. Jhs. krönen. Allerdings sind diese Elemente organisch mit der traditionellen Form des Gefäßes verknüpft.

In großer Anzahl stellte man im XVII. Jahrhundert kleine elegante Becher und Kelche her, welche mittels Prägung, Niello, Email (Kat. Nr. 11–14) verziert wurden. Sie waren für alkoholische Getränke bestimmt. Vom XIV. Jahrhundert an finden sich auf russischen Miniaturen die Abbildungen hoher Gläser mit einem trichterförmigen Oberteil. Ein Glas in dieser Form, dem Ende des XVII. Jahrhunderts angehörend, ist in der Ausstellung zu sehen (Kat. Nr. 16). Die Art seiner Verzierung entspricht dem Stil der russischen angewandten Kunst der zweiten Hälfte des XVII. Jahrhunderts, als man die strengen stilisierten Pflanzenmuster durch freiere, malerische Ornamente ersetzte, die sich den Naturformen annäherten. Funkelnde, vergoldete Stengel mit üppigen Blättern, Blumen, Vögeln und Tieren, welche die Oberfläche des Glases zieren, setzen sich effektvoll vom dunklen Hintergrund ab, der mit kleinen geschwärzten Gräsern bedeckt ist. Dekorative Techniken dieser Art verwendet auch der Juwelier bei dem Geschirr des Zaren Peters I. (Kat. Nr. 17). Diese kleinen Schalen mit Deckel wurden scheinbar für süße Speisen verwendet; man be-

nutzte sie in Rußland bis zum XVIII. Jahrhundert. Das wertvolle Galageschirr wurde nicht nur aus Gold und Silber, sondern auch aus anderen Materialien hergestellt – aus Bergkristall, Karneol, Achat usw. (Kat. Nr. 8). Auf der Ausstellung ist eine Trinkschale aus Bein vertreten, ausgeführt von den Meistern im Kreml im Jahre 1662. Der warme Farbton des Beines setzt sich von der silbernen vergoldeten Fassung ab, welche mit einem Ornament in Silberfadenarbeit mit vielfarbigem Email verziert ist. Email in Verbindung mit Silberfadenarbeit wurde von den russischen Juwelieren vielfach angewandt, vor allem seit dem XVI. Jahrhundert. Im XVII. Jahrhundert verziert man die verschiedenartigsten Erzeugnisse mit Email – Becher, Gläser, Schatullen, Fläschchen, Beschläge der Ikonen und Evangeliare, welche von den Silberschmieden der russischen Städte, aber auch von den Meistern der Metropole geschaffen wurden (Kat. Nr. 18–23). Ein herrliches Beispiel dieser Technik ist die große halbkugelförmige Schale mit einem üppigen Pflanzenmuster, das klar auf dem weich flimmernden vergoldeten Hintergrund zu erkennen ist. In das Ornament sind zahlreiche weiße Erbsen eingeführt, welche Perlen imitieren, – vielfarbige Punkte, welche die malerische Oberfläche beleben. Winzige silberne Sternchen und Blümchen, in das Email eingelassen und auf den Untergrund aufgeschmolzen, verleihen dem Erzeugnis eine noch größere Eleganz.

Besondere Feinheit weist das Filigranmuster auf, welches die goldenen Gegenstände ziert. Auf dem Kreuz (gleichzeitig Gefäß zur Aufbewahrung von Reliquien), das nach der Überlieferung dem Vater des Zaren Michail Fjodorowitsch gehörte, erinnert dieses Muster an farbige Spitzen, auf die Oberfläche des Metalls aufgelegt (Kat. Nr. 20).

Die russischen Meister beherrschten ausgezeichnet weitere Spielarten der Emaillierkunst. Die Hinwendung der Juweliere zu dieser Technik ist nicht zufällig. Das Email mit seiner sehr reichen Palette leuchtender, funkelnder Farben entsprach aufs beste den ästhetischen Anforderungen der Zeit, ihrem Sinn nach größerer Farbigkeit des Dekors. Reich ist die Farbskala auf dem Teller, ausgeführt durch die Juweliere des Kremls im Jahre 1667 (Kat. Nr. 19). Diese Farbzusammenstellung beruht auf der Verbindung von Dunkelblau, verschiedener Schattierungen von Grün, milchig-hellblauer und goldbrauner Töne. In diesem Jahrhundert änderte sich auch das Wappen des russischen Reiches. Man begann, den Doppeladler mit hoch erhobenen Flügeln abzubilden, unter drei Kronen, mit Reichsapfel und Zepter in den Klauen. Ein Wappen dieser Art ist in der Mitte des Tellers abgebildet.

Viele Erzeugnisse der zweiten Hälfte des XVII. Jahrhunderts überraschen durch jubelnde Feststimmung, welche nicht nur weltlichen Gegenständen eigen ist, sondern auch Erzeugnissen mit kirchlicher Bestimmung. Die Beschläge der Ikonen sind oft mit einem leuchtenden Pflanzenornament bedeckt, das wie ein Leitmotiv der Kunst des XVII. Jahrhunderts erscheint (Kat. Nr. 22). Charakteristisch für diese Zeit ist die Gestaltung des Pokals, ausgeführt im Jahre 1679 auf Bestellung des Zaren Fjodor Aleksejewitsch (Kat. Nr. 21). Er ist verziert mit bunten Emailgräsern, mit Bündeln von Früchten und Blumen, mit Bildern von Heiligen in farbenprächtigen Gewändern. Dank der besonderen Sättigung und Helligkeit der Töne dominieren in der Farbskala die durchsichtigen Emails, welche mit ihrem intensiven Glanz mit dem Funkeln von Edelsteinen wetteifern. Von den letzte-

ren bevorzugten die Meister die intensiv gefärbten Halbedelsteine.

Wie die erhaltenen Stücke beweisen, war die Juwelierkunst des XVII. Jahrhunderts außerordentlich vielfältig. Der schmucke, aber in der Formgebung strenge Beschlag des Evangeliars, welches an das Kloster Tschudow des Moskauer Kremls im Jahre 1668 übergeben wurde, spiegelt eine andere Tendenz wider, besonders zum Ende des XVII. Jahrhunderts verstärkt als Reaktion auf die Übersättigung mit Ornamenten und Blumen bei der dekorativen Verzierung der Gegenstände (Kat. Nr. 23).

In der Ausstellung ist auch eine kleine Gruppe weiblicher Schmuckgegenstände aus dem XVII. Jahrhundert zu finden. In diesem Jahrhundert war der Typ eines Ohrgehänges verbreitet, welcher aus einem Ring bestand, an welchem ein Stiel mit einem oder mehreren schwach geschliffenen Steinen unregelmäßiger Form, eingeschlossen von Perlen oder vergoldeten Glasperlen (Kat. Nr. 1–3), befestigt war. Manchmal waren am Ring auch mehrere Stiele mit Steinen angebracht. Gleichzeitig mit den Ohrgehängen trugen die russischen Frauen lange Anhänger, die an der Kopfbedeckung befestigt wurden. Diese Art von Schmuck findet man in Rußland seit dem X. Jahrhundert. Für das XVI.–XVII. Jahrhundert sind solche Anhänger aus mehreren Perlenreihen charakteristisch. Die Perlen auf den Anhängern wurden mit Email und Edelsteinen verziert; häufig unterbrechen die Perlenfäden Einsätze in Form von stilisierten Vögeln in Silberfadenarbeit (Kat. Nr. 4).

Schmuck und andere kleine Juweliererzeugnisse bewahrt man in Kästchen, Laden besonderer Form auf, welche ihrerseits interessante Kunsterzeugnisse darstellen. Die in der Ausstellung gezeigte Lade des Zarewitschs Aleksej Aleksejewitsch ist aus dünnen silbernen Streifen geflochten, welche Bast imitieren (Kat. Nr. 5).

Zu einer besonderen Gattung der Juwelierkunst entwickelte sich im XVII. Jahrhundert die Herstellung von Paradewaffen. Diese Produktion war in der ältesten Werkstätte des Kremls konzentriert – in der Rüstkammer. Bei der Fertigung und Ausstattung künstlerischer Waffen arbeiteten verschiedene Meister zusammen. Oft wurden Juweliere aus anderen Kammern des Kremls hinzugezogen. Zu den charakteristischen Beispielen der Meister der Rüstkammer gehören eine Pulverbüchse und ein Pistolenpaar, welche mit einem eingekerbten goldenen Ornament verziert sind und Griffe aus Elfenbein mit einer Dekoration in goldener Filigranarbeit (Kat. Nr. 24–25) aufweisen.

Zur Abteilung der Exponate aus dem XVII. Jahrhundert zählen neben den wundervollen Erzeugnissen der Werkstätten des Moskauer Kremls auch einige Gegenstände, gefertigt von Meistern in der Stadt Soljwitschegodsk (Kat. Nr. 29–33). Dieses sind eine Schale, ein elegantes Parfümfläschchen, kleine Räucherschalen zum Aufhängen und eine runde Schatulle mit Deckel für den Putztisch, alle mit farbenprächtigem Email und Filigranarbeit verziert.

Unter den berühmten Zentren der Juwelierkunst des russischen Nordens hatte im XVII. Jahrhundert die Stadt Soljwitschegodsk einen der ersten Plätze. Gegründet am mächtigen Fluß Witschegda (jetzt Archangelsker Gebiet), wurde die Stadt damals ein großes Handels- und Industriezentrum des nördlichen Rußlands, die Residenz bekannter Industrieller und Kaufleute; die ungekrönten Beherrscher des Nordens waren die hier ansässigen Stroganows. Mit den Mitteln der Familie Stroganow wurden Industrieunternehmen errichtet, Städte und Kirchen gebaut. Als Liebhaber und Mäzene der Kunst haben sie Künstlerwerkstätten gegründet, in welchen zahllose Ikonenmaler, Silberschmiede, Emailleure und Stickerinnen beschäftigt waren.

Besondere Berühmtheit erlangten die Silberschmiede aus Soljwitschegodsk, welche als erste in Rußland das dekorative Maleremail in Verbindung mit Filigranarbeit zum Ausschmücken ihrer Erzeugnisse verwendeten. Der besondere Stil ihrer künstlerischen Erzeugnisse, gewöhnlich „Email aus Usolsk" (nach dem ursprünglichen Namen der Stadt) genannt, hat sich sowohl durch die Ansprüche der Auftraggeber als auch das außerordentliche Talent der Meister herausgebildet. Die Juweliere aus Soljwitschegodsk gossen das Email nicht in durch Filigranarbeit vorgefertigte Zellen auf den Gegenständen, sondern bedeckten gewöhnlich damit die ganze Oberfläche des Erzeugnisses, wobei meistens dafür weißes Email verwendet wurde; erst danach wurde mit Emailfarben auf schneeweißem Untergrund gemalt. Die Emailfarben erhielten nach dem Brennen besondere Helligkeit und Glanz und unterstrichen zusätzlich die Zeichnung durch dünne Strichelung, welche an einen Holzschnitt erinnert. Manchmal wurde auch die Zeichnung in feinster Filigranarbeit gefertigt, was dann wie eine Umrahmung des Emails aussah. Als Ergebnis entstanden prächtige, in ihrem Äußeren unnachahmliche Gegenstände, welche mit anderen Erzeugnissen unverwechselbar waren.

Die am meisten verbreiteten Motive der Bemalung waren Blumen: leuchtend rote Tulpen, blaue Kornblumen, gelbe Sonnenblumen, oft in Girlanden geflochten, welche ihrerseits eine prächtige Umrah-

mung für im Zentrum abgebildete Tiere oder verschiedene Vögel bildeten (wie auf der ausgestellten Schale und auf dem Fläschchen). Es kommen auch Sujetkompositionen mit vielen Figuren vor, Szenen aus erbaulichen Parabeln sowie Bilder von Phantasiegeschöpfen, z. B. des glückbringenden Vogels Sirin mit der süßen Stimme.

In der Mitte des XVIII. Jahrhunderts, als Soljwitschegodsk seine wirtschaftliche Bedeutung verlor, verblaßte allmählich die Kunst seiner Juweliere. In unserer Zeit sind Exemplare dieser Zeit nur in den großen Museen der Sowjetunion zu finden. Einzelne zufällige Beispiele finden sich im Bestand privater und musealer Sammlungen in Europa und Amerika.

Die folgende Abteilung der Ausstellung zeigt die Juwelierkunst des XVIII. Jahrhunderts, welche sich von der vorhergehenden Periode stark unterscheidet. Hier sieht man Gegenstände von hohem künstlerischen Wert, gefertigt in den größten Zentren der Juwelierkunst in Rußland – in Moskau und in Petersburg, aber auch Beispiele des Schaffens der berühmten Goldschmiede aus Tula.

Rufen wir uns ins Gedächtnis, daß zu Beginn des XVIII. Jahrhunderts mit dem Regierungsantritt Peters I. eine neue Periode in der Geschichte Rußlands anbrach; die Hauptstadt wurde aus dem alten „weißsteinernen" Moskau nach Petersburg verlegt, welches eben (1703) gegründet und dessen Ausbau an den Ufern der Newa schnell vorangetrieben wurde. Ebenfalls wurden hierher auf seinen Befehl viele Maler und Künstler versetzt, darunter auch aus den Werkstätten des Kremls, welche man schloß.

In Petersburg begann die Juwelierkunst sich schnell zu entwickeln, was zuallererst durch den Umzug des kaiserlichen Hofes und die unzähligen Bestellungen bedingt war. Trotzdem bleibt Moskau nach wie vor ein bedeutendes Zentrum der russischen Gold- und Silberschmiedekunst, das sich von Petersburg dadurch unterscheidet, daß hier in bedeutend höherem Maße die charakteristischen Züge dieser Kunstart des XVII. Jahrhunderts erhalten blieben.

Die Moskauer Meister des XVIII. Jahrhunderts zeichnet die Vorliebe zur üppigen dekorativen Formgebung ihrer Erzeugnisse, zum reichen Grasmuster, zu etwas komplizierteren Formen, die sich aber auf alte und in Moskau beliebte Formen stützen, aus. Dabei bleiben die herkömmlichen Formen und Muster nicht nur in den kirchlichen Gebrauchsgegenständen – Kelche, Beschläge, große Teller –, sondern auch im Geschirr des Alltagsgebrauchs – Trinkgläser, Weingläser, Schalen, Krüge, Schnapsbecher – bestehen.

Als ein Glanzstück der Moskauer Juweliere der ersten Hälfte des XVIII. Jahrhunderts ist ein Pokal anzusehen, der offensichtlich im Auftrag des Hofes im Jahre 1742 (Kat. Nr. 34) gefertigt worden ist. Sein Rumpf ist durchgehend mit einem aufgelegten, durchbrochenen Muster in Silber verziert, das sich effektvoll von dem vergoldeten Untergrund abhebt, und mit einem gravierten Ornament und Medaillons mit Porträtabbildungen. Ein massiver Deckel mit dem Wappen Rußlands – einem gegossenen Doppeladler – unterstreicht die Erhabenheit und die Festlichkeit des Pokals. Dieser Reichtum im Dekor mit seinem offensichtlich lebensbejahenden Charakter stammt eindeutig aus den Traditionen der russischen angewandten Kunst des XVII. Jahrhunderts.

Die Ausstellung weist auch einige Erzeugnisse der Moskauer Meister auf, welche in Niello-Technik hergestellt sind: zwei elegante Schnapsbecher mit erlesenem Niello-Ornament und Genreszenen und ein in der Form schlanker Pokal, auf dessen Rumpf der Meister in Niello-Technik kunstvoll Ansichten aus Petersburg wiedergegeben hat – Peter I. zu Pferde vom Bildhauer E. Falconnet und die Alexander-Säule auf dem Schloßplatz am Winterpalais (Kat. Nr. 39–41).

Unter den verschiedenen Methoden der Bearbeitung und Ausschmückung von Erzeugnissen aus Silber und Gold, die charakteristisch für die russische Juwelierkunst im XVIII. Jahrhundert sind, nimmt das Niello einen besonderen Platz ein. Die russischen Juweliere hatten eine große Vorliebe für den schönen, dekorativen Effekt, welcher durch die Verbindung der glänzenden oder matten Oberfläche des Metalls mit dem samtartigen Niello-Muster und dessen erstaunlich tiefem Ton erreicht wurde.

Im XVIII. Jahrhundert und in der ersten Hälfte des XIX. Jahrhunderts erreichte die Niello-Technik eine Blüteperiode sowohl in den großen Zentren der Juwelierkunst, wie Moskau, Petersburg, als auch in einer Reihe von Städten des Nordens und Sibiriens, darunter in Welikij Ustjug und Tobolsk.

Gleich in den ersten Jahrzehnten des XVIII. Jahrhunderts bürgerte sich in Petersburg eine neue Richtung in der Entwicklung des Gold- und Silberhandwerks ein. Die Erzeugnisse der Juweliere der Metropole unterscheiden sich in bedeutendem Maß von den Moskauer Erzeugnissen durch Annäherung an westeuropäische Formen und durch ausgeprägte Zielsetzung, bewahren aber gleichzeitig den nationalen Charakter und die erhabenen Traditionen der Vergangenheit.

Die Veränderungen der Zeit Peters I. wirkten sich in allen Bereichen des Lebens aus, darunter auch in der Hinwendung zu allgemein-europäischen Lebensformen, was sich sofort auf die Entwicklung der russischen Silber- und Goldschmiedekunst auswirkte.

Neue Arten der Ausschmückung der Kleidung und der Wohnräume, neue Arten des Tischgeschirrs forderten eine andere dekorative Formgebung.

Die Architektur der im Bau befindlichen Hauptstadt beeinflußte die Juwelierkunst und begründete in gewissem Maße ein neues Verständnis für Räume, ein neues Gefühl für Proportionen, für die Beziehungen der einzelnen Teile und für die Anordnung des Ornaments.

Man darf auch nicht vergessen, daß sich im XVIII. Jahrhundert die Verbindungen zwischen der russischen und der europäischen Kunst bedeutend verstärkten. Eine große Anzahl russischer Meister und Maler wurde ins Ausland gesandt, um dort ihr Können zu vervollkommnen. Gleichzeitig kam ein breiter Strom ausländischer Juweliere – Deutsche, Franzosen, Schweden, Schweizer und andere, welche hauptsächlich nach Petersburg zogen und dort arbeiteten, um Bestellungen des Hofes und der Edelleute zu übernehmen, was alles nicht ohne Einfluß auf die Entwicklung der Juwelierkunst blieb.

Im ersten Viertel des XVIII. Jahrhunderts wurde erstmalig die zunftmäßige Organisation der Meister der angewandten Kunst eingeführt. Als eine der ersten wurde in Petersburg die Zunft der russischen Silber- und Goldschmiede und die der ausländischen Juweliere gegründet.

Die Arbeiten der Juweliere aus Petersburg in der ersten Hälfte und in der Mitte des XVIII. Jahrhunderts zeichnen sich durch einen reichen Dekor, durch eine besondere Manier der Ornamentierung, oft in hohem Relief, und durch beständige Variationen der kapriziösen Muster, welche dem Erzeugnis Eleganz und malerisches Äußeres verleihen, aus. Ein Beispiel dafür bietet ein Gala-Gefäß aus dem Jahre 1755 (Kat. Nr. 38). Von der alten Form des Gefäßes ist im wesentlichen nur der Mittelteil geblieben. Hoch auf Füße – in Form mit Klauen bewehrter Beine eines Adlers auf Kugeln – erhoben, ist der Becher mit großen, saftigen Barockschnörkeln ornamentiert, die wie auflaufende Wellen des Meeres aussehen, während die Tülle und der Griff mit großen, gegossenen Adlern verziert sind, was dem ganzen Erzeugnis eine seltsame und elegante Silhouette verleiht.

Die Erzeugnisse der zweiten Hälfte des XVIII. Jahrhunderts und des Anfangs des XIX. Jahrhunderts sind im klassizistischen Stil ausgeführt – in strengen Formen mit symmetrischem Ornament, wobei die wichtigste Rolle Girlanden aus Blättern, Kränze, Blumenvasen und Rosetten spielen, welche sich auf der glatten Oberfläche des Metalls befinden. Charakteristisch ist in dieser Richtung ein goldenes Salzfaß aus dem Jahre 1801, welches als Dreifuß komponiert und mit blauem Email und kleinen funkelnden Brillanten elegant verziert ist (Kat. Nr. 48); oder ein festlicher, aber formenstrengerer Krug, gearbeitet von Meister P. Grigorjew (1824), mit den Bildern von Schwänen mit gebogenen Hälsen am Springbrunnen (Kat. Nr. 42).

Einer großen Aufmerksamkeit wird sich die Abteilung der Ausstellung erfreuen, in welcher wertvoller Schmuck und Gegenstände ausgestellt sind, die am Hofe und in vornehmen Kreisen verwendet wurden, so z. B. eine Tabaksdose oder eine prächtige Uhr auf einer Châtelaine, durchweg mit Brillanten und Edelsteinen besetzt. Dieses Gebiet der Juwelierkunst fand eine sehr große Verbreitung im XVIII. Jahrhundert, besonders zur Zeit der Regierung Elisabeths und Katharinas II. Keine der nachfolgenden Entwicklungsperioden der Juwelierkunst kann sich mit dieser Zeit vergleichen – in der Pracht der Formgebung der unzähligen, damals modernen, Tabaksdosen, Necessaires, Ringe, Broschen, Uhren, Haarnadeln, Kleidungsdetails und anderen Gegenstände, welche mit Brillanten und Edelsteinen besetzt, mit Miniaturen und Malerei verziert waren.

Vortreffliche Beispiele dieser Erzeugnisse wurden bereits im XVIII. Jahrhundert zum Objekt der Sammler. So wurde die erlesene Sammlung von Katharina II., in welcher beinahe jeder Gegenstand ein Glanzstück war, zum Grundstein der in der Mitte des XIX. Jahrhunderts gegründeten Juwelengalerie in der Eremitage, in der Werke der Juwelierkunst aller Länder der Welt vertreten waren. Einige der besten Arbeiten der russischen Meister aus dieser Galerie werden in der Ausstellung gezeigt.

Eine prunkvolle Uhr auf einer Châtelaine, mit großen Brillanten auf rosa Folie, zeigt die Vorliebe für funkelnde Edelsteine, die besonders charakteristisch für die erste Hälfte und die Mitte des XVIII. Jahrhunderts war, als sogar durchsichtige Brillanten mit einer farbigen Folie unterlegt wurden, um ihre Leuchtkraft zu verstärken und den Steinen einen reicheren Farbenschimmer zu verleihen (Kat. Nr. 46).

In der zweiten Hälfte des Jahrhunderts und im XIX. Jahrhundert hat man die natürlichen Eigenschaften der Brillanten schätzen gelernt. In Kombination mit zarten Perlen brachten die Strenge der Form und die verbesserte Schlifftechnik die Erzeugnisse zur Geltung. In dieser Hinsicht finden die eleganten Arbeiten von Jean Pierre Ador (1742–1784) besondere Beachtung. Noch als junger Mann, keine 20 Jahre alt, kam er aus der Schweiz nach Petersburg und blieb hier bis zum Ende seiner Tage. Hier bildete er sich als Goldschmiedemeister und wurde einer der größten Juweliere der Welt. Er hatte eine eigene kleine Werkstatt, in welcher auch russische Juweliere und Emailleure arbeiteten. Das Schaffen Adors, ebenso wie vieler anderer ausländischer Künstler, welche Jahre oder das ganze Leben in unserem Land verbracht haben, ist untrennbar mit Rußland verbunden, und deswegen geht ihr geistiges Erbe zu Recht in die russische Kunst ein.

Elegant ist die Tabaksdose von Ador aus dem Jahre 1771, welche von Katharina II. dem Grafen Aleksej Orlow geschenkt wurde (Kat. Nr. 43). Der Deckel und der Rumpf sind mit allegorischen Szenen bemalt, welche den Sieg der russischen Flotte über die türkische im Jahre 1770 bei Tschesma verherrlichen. Die Zartheit und die Weichheit der Farbenpalette der Emailmalerei wird durch den Kontrast zu dem Glanz der feingeschliffenen, nur in Silber gefaßten Brillanten des Verschlusses auf dem Rand des Deckels noch gesteigert.

Interessant ist auch eine Tabaksdose der Arbeit von Jean François Budde, eines Goldschmieds aus der Ausländerzunft, welcher in Petersburg ab 1769 arbeitete und hier Aldermann der gleichen Zunft in den Jahren 1779–1785 war. In den Deckel der Tabaksdose ist ein Miniaturporträt von Katharina II. auf Email eingelassen, umsäumt von einem Brillantenkranz und einer zarten Blumengirlande, ausgeführt in Email und mit einer feinen Malerei, die den damals modernen Moosachat imitiert (Kat. Nr. 44).

Die Verzierung von Juweliererzeugnissen mit Miniaturen auf Email ist sehr charakteristisch für das XVIII. Jahrhundert und die erste Hälfte des XIX. Jahrhunderts. Es ist die Blütezeit der Miniaturenmalerei in Rußland, die durch so berühmte Maler wie A. I. Tschernij, P. G. Sharkow, D. I. Ewrejinow, P. Iwanow und andere vertreten wurde.

Oft benutzten die Meister einen ganzen Stein zur Schaffung eines einzelnen Gegenstandes. Mit einer Fassung in Gold oder Silber waren solche Arbeiten ungewöhnlich elegant, wie zum Beispiel die in Petersburg hergestellte Tabaksdose aus Rauchtopas oder Goldquarz (Kat. Nr. 45). Ausgezeichnet sind in ihrer ovalen Form die Proportionen festgelegt, elegant ist der Kranz aus Brillanten auf dem Rand des Deckels, makellos ist die Schnitzerei im Quarz – alles dies erlaubt es, diese Tabaksdose den einmaligen Erzeugnissen der Juwelierkunst zuzuordnen.

In der zweiten Hälfte des XVIII. Jahrhunderts und besonders zu Beginn des folgenden, wurde als ein Ergebnis der vielen von der Akademie der Wissenschaften organisierten Expeditionen eine Vielzahl reichhaltiger Fundorte russischer Halbedelsteine entdeckt, welche bald eine weltweite Berühmtheit erlangten. Als besonders reich erwiesen sich der Ural und Sibirien. Russische Steine kamen in Mode und wurden auf Ausstellungen in der ganzen Welt beachtet. Besonders schätzte man den grünen Granat, den beliebten Stein des Ural, welcher in Europa die Bezeichnung russischer Chrysolith erhielt, die kirschrot-rosa Turmaline, mit welchen in der Durchsichtigkeit und in der Schönheit der Farbe kein Turmalin in der ganzen Welt konkurrieren kann, die violettblauen, ihre Farbe verändernden Alexandrite, den reinen Bergkristall und den Rauchtopas, ohne von der Vielzahl der undurchsichtigen Steine zu sprechen, welche ebenfalls von den Juwelieren verwendet wurden – Rhodonit, Lazurit, Jaspis, Achat u. a.

Der größten Beliebtheit erfreute sich in Rußland im XIX. Jahrhundert der Malachit, ein schöner grüner Stein mit verschiedenen Farbschattierungen und mit bizarren Mustern. Erzeugnisse aus diesem Stein wurden gewöhnlich in der Technik des „russischen Mosaik" ausgeführt, wie zum Beispiel der auf der Ausstellung gezeigte Briefbeschwerer und ein Glöckchen, hergestellt um 1840 (Kat. Nr. 49–50).

Eine schmucke Damengarnitur – Kamm, Halsband und Ohrgehänge und auch eine kleine elegante Streichholzbüchse, sehr effektvoll mit feinen Medaillons mit Abbildungen von Blumensträußen verziert – demonstriert die Kunst der Petersburger Juweliere des XIX. Jahrhunderts, welche auch mit einem so interessanten Material wie Schildpatt arbeiteten (Kat. Nr. 51–55).

Es ist wenig bekannt, daß der exotische Schildkrötenpanzer, welcher aus östlichen Ländern eingeführt wurde, bei den russischen Juwelieren sehr beliebt war. Poliertes und speziell ausgewähltes Schildpatt wurde gewöhnlich mit Gold und Silber inkrustiert, wodurch sich auf dem warmen und weichen Hintergrund ein prachtvoller Anblick bot.

Erzeugnisse aus Schildpatt wurden in Rußland bereits im ersten Viertel des XVIII. Jahrhunderts gefertigt, die größte Verbreitung erhielten sie am Ende des XVIII. und im XIX. Jahrhundert, als in großer Anzahl Tabaksdosen, verschiedene Kästchen, Spazierstöcke, Schachfiguren, Tabakspfeifen und Damenschmuck geschaffen wurden. Besonders modern waren große Kämme aus Schildpatt – in Petersburg gab es sogar eine Zunft der Kammacher, nach deren Erzeugnissen eine starke Nachfrage bestand. Berühmt waren im XIX. Jahrhundert die Erzeugnisse der seinerzeit beliebten kleinen Fabriken, deren Besitzer in ihnen auch selbst arbeiteten, wie I. Mjasnikow, die Gebrüder Krassawin, I. Dolganow, die Gebrüder Barajew u. a. Auf der Ausstellung findet man einige Beispiele der Arbeiten der Juweliere des XIX. Jahrhunderts, welche in der Silberfadentechnik arbeiteten – ein Kästchen des Meisters W. I. Popow, eine große Vase, eine Tabakspfeife, feinstes durchbrochenes Ohrgehänge und ein Halsband, welche sich durch vielseitige durchbrochene Muster, durch Leichtigkeit und Durchsichtigkeit auszeichnen – sie scheinen aus feinstem Silberdraht gewoben mit zusätzlich in das Muster eingeführter Granulierung (Kat. Nr. 56–61). Die komplizierte Form der Vase ist charakteristisch für die Kunst der Mitte und der zweiten Hälfte des XIX. Jahrhunderts im Gegensatz zu den klassisch strengen Erzeugnissen vom Anfang des Jahrhunderts.

Die Filigranarbeit oder Silberfadenarbeit war seit ältester Zeit ein weit verbreiteter Zweig der Juwelierkunst.

Im XVIII.–XIX. Jahrhundert bestand eine ganze Reihe von Zentren, in denen Filigranerzeugnisse gefertigt wurden; einen der ersten Plätze nahm dabei neben den Städten des russischen Nordens Moskau ein. Für diese Zeit sind räumliche Gegenstände charakteristisch, – d. h. das Filigranornament wurde nicht, wie früher, auf das Metall aufgeschmolzen, sondern war durchbrochen und bot einen herrlichen Anblick in der Durchsicht, wobei die Schönheit seines Spitzenmusters besonders deutlich zutage trat. Meistens wurde ein stilisiertes pflanzliches Ornament mit schönen Filigranblumen, Kletten oder Rosetten in Form der gleichen Blumen oder Blätter angewendet. Im XVIII. Jahrhundert und in der ersten Hälfte des XIX. Jahrhunderts gab es neben Moskau und Petersburg noch einige bekannte Zentren der Fertigung von Juweliererzeugnissen. Eines davon war die Stadt Tula (200 Kilometer südlich von Moskau), welche durch ihre künstlerischen Erzeugnisse aus Stahl berühmt

wurde. Noch im XVI. Jahrhundert war Tula ein kleiner Ort, in welchem vorwiegend Schmiede lebten, die Waffen fertigten – Hakenbüchsen (Arkebusen). Im Jahre 1712 wurde hier eine staatliche Waffenfabrik gegründet, und die Stadt wurde zum Zentrum der russischen Waffenfertigung. In edlem Stahlglanz funkelnde Büchsen, Pistolen, Hellebarden, teure Jagdgarnituren, die als Geschenke beliebt waren, Degen, Säbel, Spielwaffen für Kinder – dies alles war reich mit Gravur verziert, mit Gold und Silber inkrustiert und vergoldet.

Ein ausgezeichnetes Beispiel dieser Erzeugnisse ist ein in der Ausstellung gezeigter Kindersäbel, der im Jahre 1780 angefertigt und dem dreijährigen Enkel der Katharina II., dem Großfürsten Aleksandr Pawlowitsch, dem künftigen Alexander I., überreicht wurde. Auf der Klinge des Säbels sieht man das Wappen von Tula und die Figur des heiligen Georg, während die mit grünem Samt bezogene Scheide reichlich mit feinem Ornament und mit einem Gürtel von „Diamanten" aus tiefgeschliffenem Stahl verziert ist (Kat. Nr. 76). Neben Waffen begannen die Meister-Juweliere aus Tula bereits im Anfang des XVIII. Jahrhunderts eine große Anzahl von Gegenständen praktischer Bedeutung zu fertigen – von kleinen Schlössern, Siegelringen, Tabaksdosen, Knöpfen – bis zu Möbeln – prachtvollen Putztischen, Betten, Tischen und Sesseln.

Die Sammlung der Eremitage mit Arbeiten aus Tula ist eine der reichsten der Welt, nach Auswahl der Gegenstände, auch nach Anzahl. Sie zählt über 300 Gegenstände von über 500 bislang bekannten, hauptsächlich in den Museen der Sowjetunion, aber auch in ausländischen Sammlungen aufbewahrten Stücken. In der Ausstellung werden die besten Stücke gezeigt –

ein Putztisch in feiner Arbeit mit Spiegel, ein Armleuchter, eine Schreibgarnitur, einige Schachfigürchen und eine Schatulle – die Arbeit des Meisters Rodion Leontjew (Kat. Nr. 71–75).

Die Tulaer Meister beherrschten wahrhaftig die Kunst der Metallbearbeitung. Der Effekt ihrer Arbeiten beruhte auf der Kombination der silbrigen, bis zum Spiegelglanz polierten oder blau-brünierten Stahloberfläche mit vergoldeter Bronze. Ebenfalls verwendete man eine tiefe Gravur. Besonders weit verbreitet waren Intarsienarbeiten und ein dekoratives Verfahren des Stahlschliffs in Form von „geschliffenen Steinen", welche zu Hunderten die Oberfläche verschiedener Gegenstände bedeckten und den Eindruck des Funkelns von Edelsteinen schufen. Nicht ohne Grund wurde diese Art des Stahlschliffs „Diamantenschliff" genannt. Mit seinen gebrochenen Flächen funkelnd, imitierte ein solcher „Stahldiamant" tatsächlich das Spiel eines natürlichen Brillanten.

Besondere Aufmerksamkeit ziehen die virtuos ausgeführten Schachfigürchen (1782) auf sich. König, Dame und Bauern erinnern in der Form an kleine Türme mit Kuppeln und Spitzen. Bewundernswert schön sind die Ornamente, ausgeführt im „Diamantschliff" auf hellem Grund (weiße Figuren) oder auf brüniertem Grund (schwarze Figuren). Die Figürchen sind gleichfalls durch Gold- und Silberintarsien verziert (Kat. Nr. 62–70).

Die Eleganz der Formen, die erstaunliche Feinheit der Ausführung und die Erlesenheit der Aufmachung machten die Arbeiten der Tulaer Goldschmiede weltberühmt und ihr Schaffen zu einem Synonym des nationalen russischen Könnens, des feinen Geschmacks und der hohen Fertigkeit.

Hervorzuheben ist der einzigartige Paradesäbel; die Oberfläche seiner Klinge ist mit Szenen des Fertigungsprozesses der Waffenherstellung bedeckt. Auf dunklem brünierten Grund sind elegante Amoretten zu sehen, die mit der Fertigung verschiedener Arten von Waffen beschäftigt sind: Abwiegen des Erzes, Einschmelzen des Metalls, Schmieden der Klingen auf dem Amboß, Härtung der Klingen auf dem Feuer in der Esse (Kat. Nr. 78).

Dieser Säbel ist einer von vielen Schenkungssäbeln, heute in der Eremitage aufbewahrt, die von dem bedeutendsten Künstler blanker Waffen in der Stadt Slatoust gefertigt wurden – von dem großen Könner, dem Juwelier Iwan Nikolajewitsch Buschujew (1800–1834). Mit dem Namen Buschujews verbindet sich der Aufschwung dieser Werkstatt, welche im Jahre 1815 in Slatoust im Ural gegründet (jetzt Tscheljabinsker Gebiet) und durch ihre Erzeugnisse in der ganzen Welt bekannt wurde. Virtuos die verschiedenen Techniken der Metallbearbeitung nutzend, darunter die Stahlgravur und die Intarsienarbeiten mit Perlmutt, Gold und Silber, stellten die Meister aus Slatoust mit Erfolg ihre Arbeiten auf russischen Manufakturausstellungen, auch auf internationalen Ausstellungen in London, Paris und Wien aus.

Die Werke der Meister aus Slatoust versetzen in Erstaunen vor allem wegen ihrer besonderen Bearbeitung: durch eine spezielle Härtung des Stahls, welche ihm Farbe verleiht und Farbeffekte schafft, aber auch mit der berühmten Gravur, welche sich, zum Beispiel von der Tulaer Gravur oder von der berühmten Solingen-Gravur unterscheidet, die in Deutschland üblich ist.

Die mannigfaltigen Kombinationen goldener Ornamente und dunkler Gründe, glänzenden polierten Stahls und matter Oberfläche, eleganter goldener feiner Schnörkel und klangvoller Farbflecke verleihen den Erzeugnissen der Meister und Juweliere aus Slatoust eine unvergleichbare Schönheit und Urwüchsigkeit.

Die Ausstellung endet mit Juweliererzeugnissen aus der zweiten Hälfte des XIX. Jahrhunderts und dem Anfang des XX. Jahrhunderts: verschiedener Schmuck der Damenkleidung, Anhängeruhren, Aschenbecher, Trinkbecher, Zigarettendosen, Teile des Prunkgeschirrs.

Das XIX. Jahrhundert, insbesondere seine zweite Hälfte, ist in der russischen Juwelierkunst gekennzeichnet durch die Gründung einer Reihe größerer Unternehmen und Firmen, hauptsächlich in Moskau und Petersburg, die eine große Anzahl von Meistern beschäftigten.

In der Juwelierkunst dieser Zeit fanden technische Neuerungen ihren festen Platz, welche es ermöglichten, viele Prozesse zu mechanisieren (Stanzen, Walzen, galvanische Vergoldung u. a.), was die Herstellung beträchtlich vereinfachte und verbilligte. Mit fortschrittlicher Technik ausgestattete russische Firmen – u. a. Gratschew, Sasikow, Chlebnikow, Owtschinnikow, Kusmitschew u. a. – vereinigten in ihren Händen beinahe die gesamte Herstellung goldener und silberner Erzeugnisse. Die Leiter dieser Firmen, selbst talentierte Juweliere, stellten nur hochqualifizierte und geschickte Meister aus allen Teilen des Landes ein und sicherten so den Erfolg der Erzeugnisse ihrer Firmen, welche bald weltweite Bekanntheit erlangten. Die Meister in den anderen Städten konnten daher nicht mehr mit den großen Firmen konkurrieren, was den Niedergang der Juwelierkunst in einer Reihe alter russischer Städte erklärt.

Eine der ältesten war die vom Kaufmann P. Sasikow gegründete Firma, welche große Berühmtheit im Zusammenhang mit der Qualität ihrer Erzeugnisse erlangte. Die Werkstatt von Sasikow bestand bereits Ende des XVIII. Jahrhunderts in Moskau. In der Folge ging das Unternehmen an die Söhne und Enkel über, welche den Titel des Hoflieferanten erhielten. Die Firma war berühmt durch ausgezeichnete Erzeugnisse aus Silber: schmucke Tee- und Tafelservice, Figuren in Treibarbeit.

In der Ausstellung sind einige Gegenstände aus einem großen Tee-Kaffee-Service zu sehen, welches um 1840 verfertigt wurde. Die komplizierten Formen seiner Gegenstände mit Verzierungen in feiner Prägung variieren im Grunde genommen Barockformen und -ornamente, aber bereits in stilisierter Übertragung, dem veränderten Geschmack der Zeit entsprechend (Kat. Nr. 79–83).

Einer der Grundzüge der Juwelierkunst zum Ende des XIX. Jahrhunderts ist ihre klar ausgeprägte Bestrebung zur Wiedergeburt nationaler altrussischer Formen, Ornamente und alter traditioneller Techniken. Diese Bestrebungen kennzeichnen vor allem die Erzeugnisse der Moskauer Firmen Postnikow, Chlebnikow, Owtschinnikow. Letztere wird durch ein großes prächtiges Bowlengefäß in einer bizarren Form vorgestellt; die gesamte Oberfläche des Gefäßes ist mit einem für die Produkte dieser Firma charakteristischen dichten stilisierten Ornament bedeckt, welches in der Technik der Silberfadenarbeit und des Maleremails in einer wundervollen Farbenkombination hergestellt ist (Kat. Nr. 91).

Die altertümliche Technik des Emails auf Filigran,

welche so virtuos von den Meistern des XVII. Jahrhunderts beherrscht wurde, bekommt erneut eine Verwendung in der Juwelierkunst – sie ist durch großes technisches und künstlerisches Können gekennzeichnet, durch sehr schöne Verbindungen verschiedener Farbtöne, durch geschickte Anordnung des Ornaments. Ein Beispiel bilden die Arbeiten des Meisters N. N. Swerew, welche durch eine verfeinerte, auserlesene Farbenskala des Emails charakterisiert sind. Prächtig verziert ist ein großer Gürtel mit Schnalle durch ein kompliziertes Pflanzenornament in Filigranarbeit und Email; die zartesten rosa-fliederfarbenen und blau-hellblauen Farbtöne herrschen (Kat. Nr. 89) vor.

Von den verschiedenen Firmen vom Ende des XIX. Jahrhunderts bis zum Anfang des XX. Jahrhunderts nimmt die weltweit bekannte Firma Fabergé einen besonderen Platz ein. Mit dem Namen dieser Firma ist ein neuer Aufstieg der Juwelierkunst zum Ende des Jahrhunderts verbunden.

Der Gründer der Firma, Gustav Fabergé, aus dem Baltikum stammend, eröffnete bereits um 1840 eine kleine Werkstatt in Petersburg; aber erst um 1870, als sein Sohn Carl Fabergé, welcher ein kunstfertiger Juwelier war, das Unternehmen erbte, gelang es, das Geschäft auf eine solide Basis zu stellen und in kurzer Zeit zu weltweiter Anerkennung zu gelangen. Sein Name wurde noch zu Lebzeiten zum Synonym hoher Kunstfertigkeit: nicht ohne Grund begann man im Ausland, Carl Fabergé den nördlichen Cellini zu nennen.

Zum Ende des Jahrhunderts besaß die Firma Fabergé bereits einige Filialen sowohl in Rußland als auch im Ausland; in ihren Werkstätten arbeiteten über fünfhundert Juweliere. Die bekanntesten unter ihnen waren M. Perchin, H. Wigstrem, J. Rappoport, A. Nevalainen, welche später das Recht erhielten, eigene Werkstätten zu eröffnen und ihren persönlichen Stempel neben den der Firma zu prägen.

Die Erzeugnisse von Fabergé sind außerordentlich mannigfaltig in ihrer Bestimmung. In der Firma berücksichtigte man herkömmliche Traditionen der russischen Kunst und bemühte sich um die Wiedergeburt klassischer Formen, gleichzeitig setzte man sich für den Jugendstil ein, der damals bereits überall in Europa Fuß gefaßt hatte. Die ungewöhnlich hohe Meisterschaft der Ausführung aller Erzeugnisse muß vermerkt werden: die tadellose Prägung, die virtuosen Treibarbeiten, die Gravur, die Guillochierung, die Vollkommenheit der durchsichtigen Emaillen, die reiche Farbpalette.

Besonders charakteristisch für Fabergé waren Emaillen auf guillochiertem Untergrund, gewöhnlich durchsichtig und monochrom – sie werden auf der Ausstellung durch einen kleinen Krug des Meisters A. Nevalainen vertreten. Dieser Krug ist mit durchsichtiger blauer Emaille auf fein graviertem und guillochiertem Untergrund mit eingelassenen Münzen des XVIII. Jahrhunderts verziert (Kat. Nr. 99).

Als eine der ersten verwendete die Firma Fabergé russische Halbedelsteine – Uralhalbedelsteine, verschiedenartigen Jaspis, Rhodonit, Achat, Heliotrop, Avanturin, Lasurit, Malachit, Bergkristall – neben Brillanten, Rubinen, Smaragden, Saphiren, diese geschickt mit Edelmetallen kombinierend – Platin, patiniertes oder poliertes Silber, Gold aller Schattierungen. Ein Beispiel dafür – eine Zigarettendose aus Bergkristall mit Arabesken auf der gesamten Oberfläche, mit feiner Platinfassung, welche mit Rosen geziert ist (Kat. Nr. 97).

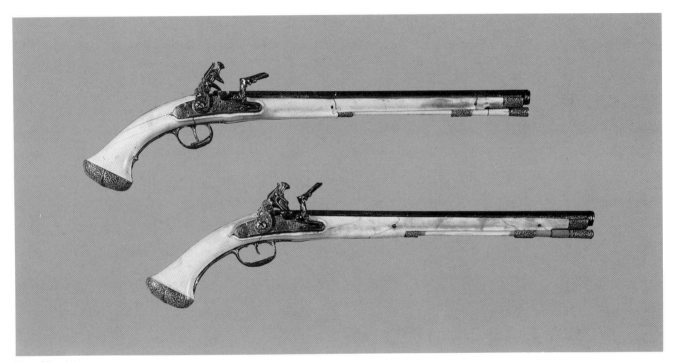

Kat. Nr. 25

Besonderen Ruhm brachten der Firma kleine lustige Tierfiguren aus ganzen Steinen oder auch die Figürchen von Menschen. Um diese herzustellen, verwendeten die Meister verschiedene Arten russischer Halbedelsteine, mit großem Geschick die natürlichen Gegebenheiten und Besonderheiten der Steine aufzeigend. In der Ausstellung kann man derartige Figürchen sehen: einen Mops aus Topas, einen Fisch und eine Fliege aus Karneol (Kat. Nr. 100–102).

Kat. Nr. 71 ▷
Kat. Nr. 72 ▷▷

Kat. Nr. 89

Kat. Nr. 105

Katalog

Der Katalog enthält folgende Angaben:

1. Bezeichnung des Gegenstandes. Ort der Fertigung. Datum
2. Name des Meisters
3. Stempel
4. Material. Technik
5. Maße in Zentimetern
6. Herkunft des Gegenstandes und Inv.-Nr.
7. Kurze Beschreibung des Gegenstandes, seine Zugehörigkeit und Geschichte
8. Ausstellungen der letzten Jahre, auf welchen der Gegenstand ausgestellt wurde (vorbehaltlich des Vorhandenseins eines Katalogs).

Kat. Nr. 5

32

1   Einreihiges Ohrgehänge

Rußland. 17. Jh.
Gold, Saphire, Perlen. Guß, Stanzstempel.
Länge 8 cm
Übernommen 1931 aus dem Gebietsmuseum der Stadt
Wladimir.
MR–5745/1–2
Staatliche Museen des Moskauer Kremls.

2   Zweireihiges Ohrgehänge

Rußland. 17. Jh.
Silber, Saphire, Almandine, Perlen. Guß, Vergoldung.
Länge 5 cm
Übernommen 1931 aus dem Gebietsmuseum der Stadt
Wladimir.
MR–5755/1–2
Staatliche Museen des Moskauer Kremls.

3   Dreireihiges Ohrgehänge

Rußland. 17. Jh.
Silber, Saphire, Hyazinthe, Perlen. Guß, Vergoldung.
Länge 5,3 cm
Übernommen 1931 aus dem Gebietsmuseum der Stadt
Wladimir.
MR–5759/1–2
Staatliche Museen des Moskauer Kremls.

Kat. Nr. 1, 2
3, 4

Kat. Nr. 8

4 Schmuck für weibliche Kopfbedeckung

Rußland. 17. Jh.
Silber, Perlen, Almandine. Guß, Filigran, Email, Vergoldung.
Länge 18, 4 cm
Übernommen 1931 aus dem Gebietsmuseum der Stadt Wladimir.
Perlenschmuck, durchsetzt mit Vögelchen in Filigran; der obere Teil in Form von stilisierten Fischen, verziert mit Almandinen und emailliertem Filigranornament.
MR–5763/1–2
Staatliche Museen des Moskauer Kremls.

5 Kästchen

Rußland. Um 1660.
Silber. Guß, Ziselierung, Vergoldung.
14,2 x 17,2 cm
Hauptsammlung der Rüstkammer.
Geflochten aus schmalen, dünnen Streifen, beschlagen mit vergoldetem Silber, geschmückt mit reliefierten Ziernieten. Aus dem Besitz des Zarensohns Aleksej Aleksejewitsch.
MR–5773
Staatliche Museen des Moskauer Kremls.

6 Kelle (Kovsch)

Moskau. Kreml-Werkstätten, 1624. Meister Tretjak Pestrikow und Sohn.

Kat. Nr. 9 ▷
Kat. Nr. 10 ▷▷

Gold, Saphire, Smaragde, Hyazinthe, Perlen. Ziselierung, Niello, Treibarbeit.
14,5 x 29,5 x 20,5 cm
Hauptsammlung der Rüstkammer.
Auf dem Boden Bild eines Doppeladlers; auf dem Griff und der gegenüberliegenden Seite von Perlen umrahmte Plättchen mit nielliertem Pflanzenmuster. An der oberen Kante Beschriftung in Niello mit dem Namen des Zaren Michail Fjodorowitsch.
MR–4126
Staatliche Museen des Moskauer Kremls.
Ausstellungen: Altrussische Kunst. Tokio 1964; Soviet Union: Arts and Crafts in Ancient Times and Today. New York. 1971.

7   Becher mit Deckel (Bratina)

Moskau. Kreml-Werkstätten. Erstes Viertel 17. Jh.
Silber, Treibarbeit, Punzierung, Vergoldung.
Höhe 28,5 cm
Hauptsammlung der Rüstkammer.
Geschmückt mit Figurenstempeln auf Schildchen, flankiert von einem Löwen, einem Einhorn, zwei Vögeln, zwei Fischen und zwei Jünglingen in westlichem Gewand. Auf den Schildchen befindet sich die Inschrift: „Becher des Pjotr Aleksejewitsch Tretjakow". Am oberen Rand eine Beschriftung mit einer Belehrung darüber, in welchen Fällen man Wein trinken sollte. Im Becher eine Beschriftung, welche die jetzt fehlende Figur eines Zechers begleitete: «Челче, что на мя эриши, не проглотит ли мя хощеши. Аз есьми бражник. Челче возри во дно братины сея и открыеши тайну свою». (Mensch, warum schaust Du mich an, willst Du mich verschlingen? Ich bin ein Zecher. Mensch, schau auf den Grund dieses Bechers, und Du wirst Dein Geheimnis entdecken.)
Der Becher gehörte dem Amtmann Pjotr Aleksejewitsch

Tretjakow, dessen Frau ihn dem Zaren Michail Fjodorowitsch Romanow im Jahre 1618 schenkte.
MR–4131/1–2
Staatliche Museen des Moskauer Kremls.

8   Becher mit Deckel (Bratina)

Moskau. Kreml-Werkstätten, 1662.
Meister Wassilij und Fjodor Iwanow.
Silber, Bein, Turmaline. Treibarbeit, Ziselierung, Filigran, Email, Vergoldung.
Höhe 15,5 cm
Hauptsammlung der Rüstkammer.
Gefäßkörper und Deckel aus Bein, Montierung aus vergoldetem Silber, Pflanzenmuster in Filigran. Die Innenseite des Bechers vergoldet, am Boden emaillierte Blumenrosette.
DK–161/1–2
Staatliche Museen des Moskauer Kremls.

9   Becher (Bratina)

Moskau. Kreml-Werkstätten, 1660er Jahre.
Silber. Punzierung, Gravur, Vergoldung.
9,5 x 11,4 x 11,4 cm
Übernommen in den 1920er Jahren aus dem Staatlichen Museumfonds.
Verziert mit einem getriebenen Pflanzenornament; am oberen Rand eine gravierte Schenkungsinschrift, welche bezeugt, daß der Becher vom Zaren Aleksej Michailowitsch

dem Fürsten Michail Alegukowitsch Tscherkasskij verliehen wurde.
ERO–6985
Staatliche Eremitage.
Ausstellungen: Venäjän Taidetta 900–1600 – Luvuilta. Helsinki, 1974, 17, Nr. 46; Denkmäler der russischen dekorativen angewandten Kunst des 17. Jhs. Ausstellungskatalog (Eremitage). Leningrad, 1979, Nr. 9.

10   Becher mit Deckel (Bratina)

Moskau. Kreml-Werkstätten. 17. Jh.
Silber. Ziselierung, Treibarbeit, Punzierung, Vergoldung.
Höhe 11 cm
1924 aus der Sammlung von Subalow erworben.
Verziert mit einem Pflanzenornament. Am oberen Rand nennt eine Inschrift die Besitzerin des Bechers, die Zarentochter Irina, Tochter des Zaren Michail Fjodorowitsch.
MR–4198/1–2
Staatliche Museen des Moskauer Kremls.

11   Trinkschale (Kortschik)

Moskau. Kreml-Werkstätten. 17. Jh.
Gold, Granat, Edelsteine. Punzierung, Email.
7,3 x 12,5 x 7,8 cm
Hauptsammlung der Eremitage (Juwelengalerie), früher im Winterpalais.
Füße in Form von Ungeheuern; Gefäßkörper, Henkel und Rand mit farbigem Emaille, Smaragden, Rubinen und Spinell verziert; auf dem Boden ein weißer Saphir und Smaragde.
E–5121
Staatliche Eremitage, Leningrad.

12   Becher (Tscharka)

Moskau. Kreml-Werkstätten. Ende 17. Jh.
Silber. Punzierung, Vergoldung, Filigran, Email.
1,5 x 8 x 8 cm
Hauptsammlung der Eremitage.

Pflanzenornament in Filigran mit verschiedenfarbigem Email.
ERO–774
Staatliche Eremitage, Leningrad.

13 Becher (Tscharka)

Moskau, Ende 17. Jh.
Silber. Punzierung, Vergoldung, Niello.
2,3 x 10,3 x 7,2 cm
Hauptsammlung der Eremitage.
Geziert auf der Außenseite mit dem Bild eines Vogels inmitten von Blumen und Früchten, stilisiertes Pflanzenornament auf der Innenseite und auf dem Henkel, Füße in Form von Adlerklauen auf Kugeln.
ERO–6913
Staatliche Eremitage, Leningrad.
Ausstellungen: Venäjän Taidetta 900–1600 – Luvuilta. Helsinki. 1974, Nr. 55; Denkmäler der russischen dekorativen angewandten Kunst des 17. Jhs. Ausstellungskatalog (Eremitage). Leningrad, 1979, Nr. 19.

14 Becher (Tscharka)

Ende 17. Jh.
Silber, Achat, Glas. Punzierung, Vergoldung, Email.
3,7 x 4,7 cm
Hauptsammlung der Eremitage (Juwelengalerie).
Oberer Rand, Grundfläche und Henkel mit einem stilisierten Pflanzenornament in Filigran und farbigem Email verziert.
ERO–6872
Staatliche Eremitage, Leningrad.

15 Becher (Tscharka)

Moskau. Ende 17. Jh.
Silber. Punzierung, Guß, Treibarbeit.
4,5 x 6,6 x 9,5 cm
Hauptsammlung der Rüstkammer.
Innen verziert mit einem Reliefbild verschiedener Meereswesen, außen Tiere in einem Pflanzenornament, auf dem Henkel ein Pfau.
Auf der oberen Kante die Beschriftung: «Истиная любовь подобна сосуду злату, ниоткуда разбития не бывает, а ще и погне». (Wahre Liebe gleicht einem goldenen Gefäß, es zerbricht nie, und wenn es verbogen wird, so wird es begradigt.)
MR–3379
Staatliche Museen des Moskauer Kremls.

16 Trinkglas

Moskau. Ende 17. Jh.
Stempel: ВЛЕ, abgeschlagener Jahresstempel.
Silber. Punzierung, Treibarbeit, Niello, Vergoldung.
Höhe 20,1 cm
Hauptsammlung der Rüstkammer.
Verzierung aus großen Zweigen mit Blumen, Früchten und sitzenden Vögeln vor nielliertem Hintergrund; am unteren Rand des Gefäßkörpers Bilder eines Einhorns, eines Hammels und eines Hirsches.
MR–1773
Staatliche Museen des Moskauer Kremls.
Ausstellungen: Altrussische Kunst. Tokio, 1964; L'Art russe des Scythes à nos jours. Paris. 1967, Nr. 195.

Kat. Nr. 11

17 Dose mit Deckel

Moskau. Kreml-Werkstätten. Ende 17. Jh.
Silber. Punzierung, Niello, Treibarbeit, Vergoldung.
10 x 14,5 cm
Hauptsammlung der Rüstkammer.
Geziert mit Doppeladlern auf nielliertem Hintergrund; am
oberen Rand Inschrift mit dem Titel des Zaren Peters I.
MR–4208
Staatliche Museen des Moskauer Kremls.

18 Trinkschale (Tschascha)

Moskau. Kreml-Werkstätten. 2. Hälfte 17. Jh.
Silber. Punzierung, Filigran, Email, Vergoldung.
11,4 x 24 cm
1924 aus der Sammlung Subalow erworben.
Pflanzenornamente in Filigran und vielfarbigem Email; sil-
berne, vergoldete Blümchen auf Email.
MR–1809
Staatliche Museen des Moskauer Kremls.

19 Teller

Moskau. Kreml-Werkstätten, 1667.
Meister L. Konstantinow und I. Jurjew.
Gold, Rubine. Punzierung, Email, Gravur.
Ø 22 cm
Hauptsammlung der Rüstkammer.
Tellerfahne mit Rubinen verziert; auf dem Boden Email-
bild eines Doppeladlers unter drei Kronen mit Zepter und
Reichsapfel in den Klauen, umlaufend Inschrift mit dem
Namen des Zaren Aleksej Michailowitsch. Am Rand Blu-
menmuster in Email.
MR–3363
Staatliche Museen des Moskauer Kremls.

Kat. Nr. 16

Kat. Nr. 17

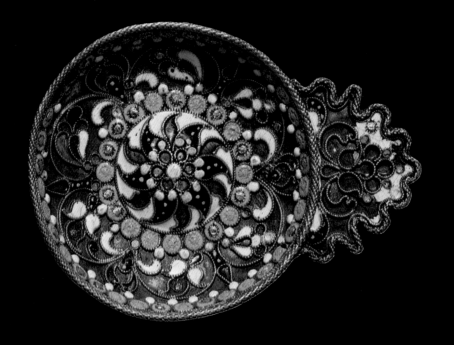

◁ Kat. Nr. 12
  Kat. Nr. 13

Kat. Nr. 14
Kat. Nr. 15

Kat. Nr. 18

Kat. Nr. 19 ▷

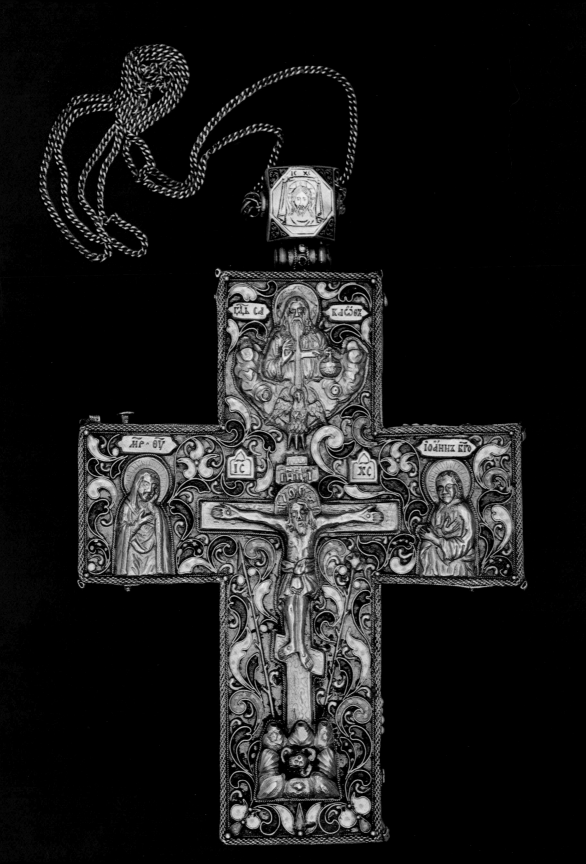

◁ Kat. Nr. 20

Kat. Nr. 23

Kat. Nr. 21

◁ Kat. Nr. 27, 26

Kat. Nr. 33

Kat. Nr. 28

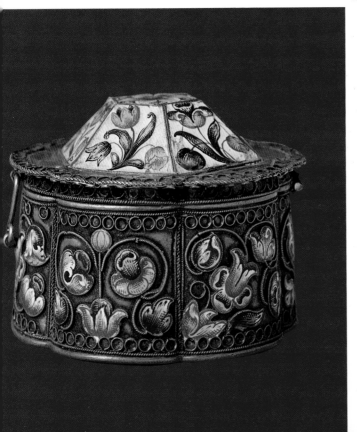

Kat. Nr. 29

Kat. Nr. 30–32 ▷

20 Reliquienkreuz

Moskau. Kreml-Werkstätten. 17. Jh.
Gold, Silber. Punzierung, Gravur, Filigran, Niello, Email.
15,9 x 10,6 x 1,8 cm
1958 aus dem Paulspalais-Museum übernommen.
Am oberen Rand und an den Seitenflächen stilisiertes
Pflanzenornament in Filigran mit farbigem Email. Auf der
Vorderseite Kreuzigung, auf der Rückseite gravierte In-
schrift mit Nennung der Reliquien.
Lederetui mit rotem Samt; eingelegt ist ein Zettel mit der
Mitteilung, daß nach der Überlieferung das Kreuz dem Pa-
triarchen Filaret (Vater des Zaren Michail Fjodorowitsch)
gehört hat.
ERP–1303
Staatliche Eremitage, Leningrad.
Ausstellungen: Kunstmetall in Rußland 17. – Anfang
20. Jh. Ausstellungskatalog in der Eremitage. Leningrad,
1981, Nr. 531.

21 Trinkbecher

Moskau. Kreml-Werkstätten, 1679.
Gold, Edelsteine. Punzierung, Email.
29,2 x 17, 7 cm
1922 aus der Kirche des Winterpalais übernommen.
Geziert mit stilisiertem Pflanzenornament in Emailtechnik,
ferner mit Rubinen, Diamanten, Smaragden, Almandinen,
Saphiren, Amethysten und Spinell. Die Bilder zeigen:
Kreuzigung, Jesus, Madonna, Apostel Johannes, Abend-
mahl, Kreuztragung, Kreuzabnahme, Beweinung und Ab-
stieg zur Vorhölle. Auf der Unterseite gravierte Inschrift,
die besagt, daß der Trinkbecher im Jahre 1679 auf Bestellung des Zaren Fjodor Aleksejewitsch für die Schloßkirche
Mariae Himmelfahrt im Moskauer Kreml hergestellt
wurde. In den Jahren 1732–1736 wurde der Becher nach
Petersburg zur Einweihung der Kirche St. Peter und Paul
gebracht, später auf Befehl von Katharina II. 1776 in die
Kirche des Winterpalais übertragen.
E–9743
Staatliche Eremitage, Leningrad.

22 Ikone der Muttergottes mit Kind

Moskau. Kreml-Werkstätten. Ende 17. Jh.
Holz, Gold, Edelsteine. Punzierung, Email.
12,1 x 10,3 x 2,4 cm
1922 aus der Kirche des Winterpalais übernommen.
Der Oklad ist mit einem stilisierten Pflanzenornament in
Email verziert. Auf der mit Seide bezogenen Rückseite be-
findet sich eine Aufschrift, die bezeugt, daß die Ikone der
Zarentochter Jekaterina Ioannowna, Nichte Peters I., Toch-
ter des Zaren Ioann Aleksejewitsch, gehörte.
E–9758
Staatliche Eremitage, Leningrad.

Kat. Nr. 22

23   Evangeliar

2. Hälfte 17. Jh.
Beschlag. Moskau. Kreml-Werkstätten, 1668.
Gold, Silber, Edelsteine, Gewebe, Holz, Papier.
Niello, Punzierung, Treibarbeit.
4,9 x 30,5 cm
1918 aus dem Dreieinigkeits-Hof übernommen.
Gedrucktes Evangeliar mit Miniaturen, die mit Farben und mit Gold ausgemalt sind. Die Vorderseite des Beschlags zieren Medaillons, welche die Kreuzigung und die vier Evangelisten zeigen, sowie Reihen kleiner Almandine und Amethysten. Der untere Teil des Beschlags ist mit einem Goldgewebe bezogen. Auf der Seite des oberen Teiles befindet sich eine niellierte Inschrift, welche besagt, daß dieses Evangelium durch den Zaren Aleksej Michailowitsch und seiner Familie im Jahre 1668 dem Kloster „Tschudowo" übergeben wurde – zum Andenken an Anna Iljinitschna Morosowa, eine Verwandte des Zaren.
Kn.–12/1–2
Staatliche Museen des Moskauer Kremls.

24   Pulverbüchse

Moskau. Kreml-Werkstätten. 17. Jh.
Perlmutter, Silber, Nephrit, Rubine, Niello, Vergoldung.
Ø 19 cm
Hauptsammlung der Rüstkammer.
Pulverbüchse aus Perlmutter in silberner Fassung. Auf dem Deckel ein Pflanzenornament; am Rand ein Nephritring mit Gold und Rubinen inkrustiert.
OR–115
Staatliche Museen des Moskauer Kremls.

◁◁ Kat. Nr. 34
◁ Kat. Nr. 35
Kat. Nr. 36 ▷
Kat. Nr. 39, 40
Kat. Nr. 37 ▷▷

25   *Zwei Pistolen*

Moskau. Kreml-Werkstätten. Ende 17. Jh.
Stahl, Bein, Gold. Schmiedearbeit, Filigran, Gravur, Vergoldung.
Kaliber 13 mm
Gesamtlänge 61,5 cm
Hauptsammlung der Rüstkammer.
Sattelpistolen mit Steinschloß französischen Typs. Auf den Läufen Bilder von laufenden Tieren, dem Doppeladler und einem Grotesk-Ornament. An den Schlössern das Bild eines Drachen. Griffe aus Bein, geziert mit Filigran.
Or–158/1–2 – 159/1–2
Staatliche Museen des Moskauer Kremls.

26   *Becher (Tscharka)*

Nowgorod. Erste Hälfte bis Mitte 17. Jh.
Silber, Glas. Punzierung, Vergoldung, Email.
4,2 x 8,8 x 6,2 cm
Hauptsammlung der Eremitage (Juwelengalerie).
Becher verziert mit stilisiertem Pflanzenornament und Papageien, einem Löwen, einem Einhorn, einem Elch und einem Hasen. Am oberen Rand ziselierte Inschrift: «чарка добра человека пить изъ нее на здоровье . . .» (Der Becher ist für das Wohl des Menschen, Trinken aus ihm gereicht ihm zum Wohl); auf dem Boden ein Pflanzenornament und die Inschrift: «чаша пить мудрым людемъ навеселие а безумным на погибель». (Der Becher führt Weise zur Fröhlichkeit, Wahnsinnige zum Untergang.) Auf dem Henkel die Darstellung Samsons, den Rachen eines Löwen aufreißend.
ERO–6889
Staatliche Eremitage, Leningrad.

27   *Becher (Tscharka)*

Nowgorod. 17. Jh.
Silber. Ziselierung, Treibarbeit, Vergoldung, Punzierung.
3,8 x 10,4 x 7,3 cm
Für die Eremitage 1951 erworben.
Verziert mit Pflanzenornament, einem Löwen, einem Hasen, einem Einhorn und einem Hund. Auf dem oberen Rand Inschrift mit dem Hinweis, daß dieses Gefäß Sawwa und Sergej Michailow gehörte.
ERO–8872
Staatliche Eremitage, Leningrad.

28   *Fläschchen mit Stöpsel*

Nowgorod (?). Ende 17. Jh.
Silber. Vergoldung, Punzierung, Filigran, Niello, Email.
9 x 5,1 cm
Hauptsammlung der Eremitage.
Verziert mit stilisiertem Pflanzenornament in Filigran und blauem, grünem und weißem Email.
ERO–775 a, b
Staatliche Eremitage, Leningrad.
Ausstellungen: Venäjän Taidetta 900–1600 – Luvuilta. Helsinki. 1974, 21, Nr. 69; Denkmäler der russischen dekorativen angewandten Kunst des 17. Jhs. Ausstellungskatalog (Eremitage). Leningrad, 1979, Nr. 33.

29 Trinkbecher (Tschascha)

Soljwitschegodsk. Letztes Viertel 17. Jh.
Silber. Filigran, Vergoldung, Email.
4,7 x 14,5 x 14,5 cm
Hauptsammlung der Eremitage, vorher im Winterpalais.
Auf der Außen- und Innenseite Abbildungen eines Vogels,
Blumen in Email und Filigran.
ERO-6875
Staatliche Eremitage, Leningrad.
Ausstellungen: Venäjän Taidetta 900-1600 – Luvuilta.
Helsinki. 1974, 21, Nr. 65; Denkmäler der russischen deko-
rativen angewandten Kunst des 17. Jhs. Ausstellungskata-
log (Eremitage). Leningrad, 1979, Nr. 37.

30-31 Zwei Anhänger

Soljwitschegodsk. Letztes Viertel 17. Jh.
Silber. Filigran, Email.
3,5 x 2,5 cm; 4,2 x 1,7 cm
Hauptsammlung der Eremitage.
Verziert mit stilisiertem Blumenornament in Email.
ERO-776 und 6884
Staatliche Eremitage, Leningrad.
Ausstellungen: Denkmäler der russischen dekorativen an-
gewandten Kunst des 17. Jhs. Ausstellungskatalog (Eremi-
tage). Leningrad, 1979, Nr. 46.

32 Fläschchen

Soljwitschegodsk. Letztes Viertel 17. Jh.
Silber. Filigran, Email.
7,8 x 4 cm
Hauptsammlung der Eremitage (Juwelengalerie).

Kat. Nr. 38 ▷

Verziert mit einem Vogel und stilisiertem Pflanzenornament in Email und Filigran.
ERO–777
Staatliche Eremitage, Leningrad.

33   Schmuckkästchen mit Deckel

Soljwitschegodsk. Letztes Viertel 17. Jh.
Silber. Filigran, Email.
5,7 x 7,5 x 7,5 cm
Hauptsammlung der Eremitage.
Verziert mit stilisiertem Pflanzenornament in Email und Filigran.
ERO–6879
Staatliche Eremitage, Leningrad.
Ausstellungen: Denkmäler der russischen dekorativen angewandten Kunst des 17. Jhs. Ausstellungskatalog (Eremitage). Leningrad, 1979, Nr. 42

34   Deckelpokal

Moskau, 1742.
Stempel des Eichmeisters Afanassij Ribakow – AR, Stempel der Stadt Moskau mit dem Jahresstempel 1742.
Silber, Almandine. Punzierung, Treibarbeit, Vergoldung.
67 x 17,5 x 17,5 cm
Hauptsammlung der Eremitage, früher im Winterpalais.
Verziert mit aufgelegtem durchbrochenen Ornament und ziselierten Porträts in Medaillons; auf dem Deckel gegossener Doppeladler. Fuß in Form einer Bacchusfigur mit Traube.
ERO–4564 a, b
Staatliche Eremitage, Leningrad.

35   Kelle (Kovsch)

Moskau, 1761.
Meister Jakow Semenow Maslennikow.
Stempel des Meisters – Я.M., des unbekannten Eichmeisters – B.A, des Obermeisters F.Petrow – AΠΦ, Stempel der Stadt Moskau mit dem Jahresstempel 1761.
Silber. Vergoldung, Gravur.
14,2 x 30,5 x 16,7 cm
Hauptsammlung der Eremitage, früher im Winterpalais.
Verziert mit ziselierten muschelförmigen Kartuschen und dem gravierten Porträt der Kaiserin Jelisaweta Petrowna. Die Inschrift besagt, daß diese Kelle von der Kaiserin im März 1761 dem Oberst des Don-Heeres, dem Ataman Nikifor Gulin, für seine treuen Dienste verliehen wurde. Am Griff das Monogramm der Jelisaweta Petrowna in einer Kartusche unter der Krone, gegenüber und auf dem Boden ziselierte Doppeladler.
ERO–4616
Staatliche Eremitage, Leningrad.

36   Schüssel

Moskau, 1762.
Meister Aleksej Wassiljew Polosow und Andrej Gerasimow.
Stempel der Meister – AΠB, A.Г, Stempel der Stadt Moskau mit Jahresstempel 1762 und Probe 74.
Silber. Vergoldung, Gravur, Punzierung.
46,3 x 57,5 cm
Hauptsammlung der Eremitage, früher im Winterpalais.
Verziert mit ziseliertem Monogramm von Katharina II. unter der Krone.
ERO–5058
Staatliche Eremitage, Leningrad.

37 Ikone „Madonna von Kasan"

Moskau, 1775.
Meister Aleksej Afanasjew und J. Frolow.
Stempel der Meister – Я.Ө, А·А, des unbekannten Ober-
meisters АПО, Stempel der Stadt Moskau mit Jahresstem-
pel 1775.
Holz, Silber, Edelsteine, Perlen, Glas, Gewebe. Gravur,
Vergoldung.
33,1 x 28,6 x 3 cm
Für die Eremitage im Jahr 1961 erworben.
Der Oklad mit getriebenem muschelförmigem Ornament
in Form eines Blumenkorbes im unteren Teil, am oberen
Rand Rocaillen und eine Krone.
ERO–8912
Staatliche Eremitage, Leningrad.

38 Kelle (Kovsch)

Petersburg, 1755.
Stempel des unbekannten Meisters – A.. (undeutlich), des
Eichmeisters Iwan Frolow – ИӨ, der Stempel der Stadt
Petersburg mit dem Jahresstempel 175. (?)
Silber. Treibarbeit, Gravur, Vergoldung.
32 x 29 x 18 cm
In den 1920er Jahren aus dem Staatlichen Museumsfonds
erworben.
In einer Kartusche das Monogramm der Jelisaweta Petrow-
na; auf dem Henkel und gegenüber Doppeladler. Füße in
Form von Adlerklauen auf Kugeln. Die Inschrift auf dem
Rand besagt, daß der Pokal von der Kaiserin am 8. Februar
1755 dem Kaufmann Iwan Tschirkin aus Petersburg, dem
Sohn des Rodion, verliehen wurde.
ERO–5134
Staatliche Eremitage, Leningrad.

◁ Kat. Nr. 41, 42

Kat. Nr. 43

Kat. Nr. 44

39 Becher (Tscharka)

Moskau, 1771.
Meister Iwan Michailow.
Stempel des Meisters – И.М., des unbekannten Eichmeisters – B·A, Stempel der Stadt Moskau mit Jahresstempel 1771.
Silber. Treibarbeit, Gravur, Niello, Vergoldung.
4,4 x 6,6 x 5,5 cm
In den 1920er Jahren aus dem Staatlichen Museumfonds erworben.
Verziert mit niellierten Kartuschen und Szenen aus dem Alltagsleben.
ERO–5111
Staatliche Eremitage, Leningrad.

40 Becher (Tscharka)

Moskau, 1792.
Stempel des unbekannten Meisters – IMΠ, des Eichmeisters A.I.Wichljajew – 1792 A.B., Stempel der Stadt Moskau.
Silber. Treibarbeit, Gravur, Niello, Vergoldung.
5,3 x 5,1 x 6,7 cm
Hauptsammlung der Eremitage (Juwelengalerie), früher im Winterpalais.
Verziert mit niellierten Medaillons (Alltagsszenen und Landschaften).
ERO–5082
Staatliche Eremitage, Leningrad.

41 Pokal

Moskau, 1840.
Stempel des unbekannten Meisters – AK, des Eichmeisters
N.L.Dubrowin НД 1840; Stempel der Stadt Moskau;
Probe 84.
Silber. Treibarbeit, Gravur, Niello, Vergoldung.
26,7 x 8,5 x 8,5 cm
Hauptsammlung der Eremitage.
Auf dem Pokal das Bild des Denkmals Peters I. und der
Alexander-Säule in Petersburg, dazwischen Pflanzenorna-
ment.
ERO–4781 a, b
Staatliche Eremitage, Leningrad.

42 Krug

Moskau, 1825.
Meister Pjotr Grigorjew.
Stempel des Meisters – ПГ, des Eichmeisters N.L.Dubro-
win НД 1825, Stempel der Stadt Moskau, Probe 84.
Silber. Gravur, Treibarbeit.
38 x 21,5 x 13 cm
Erworben 1922 aus dem Kloster Aleksandro-Newskaja
Lawra.
Auf dem Kreuz das Bild zweier Schwäne am Springbrun-
nen mit Pflanzenornamenten; am Boden gravierte Beschrif-
tung; „Für die Aleksandro-Newskaja Lawra von Nikolai
Wiktor Dimitrij und Georgij Wassiltschikow am 1. Juni
1878."
ERO–4822
Staatliche Eremitage, Leningrad.

43 Tabaksdose

Petersburg, 1771.
Meister Jean Pierre Ador.
Signatur: ADOR = A = ST = PETERSBOURG.
Gold, Silber, Brillanten, Rubin. Treibarbeit, Gravur,
Email.
6,4 x 8,8 x 4,3 cm
Hauptsammlung der Eremitage (Juwelengalerie).
Verziert mit Szenen, welche den Sieg der russischen Flotte
unter dem Oberbefehl des Grafen A.G.Orlow über die
Türken im Jahre 1770 bei Tschesma verherrlichen.
Die Tabaksdose wurde von Katharina II. dem Grafen
A.G.Orlow geschenkt; später übergab dessen Tochter, die
Gräfin A.A.Orlowa, die Dose an das Kloster Jurjew in
Nowgorod, von dort aus gelangte sie im 19. Jh. an den
Palast. Im Jahre 1854 schenkte die Kaiserin Aleksandra
Fjodorowna, die Gattin des Zaren Nikolai I., die Tabaks-
dose dem Herzog von Mecklenburg-Strelitz, welcher sie
wiederum nach seinem Tode (1876) der Eremitage ver-
machte.
E–6239
Staatliche Eremitage, Leningrad.

Kat. Nr. 46

Kat. Nr. 47 ▷
Kat. Nr. 57

44   Tabaksdose

Petersburg, ca. 1770–80.
Meister Jean François Budde.
Stempel des Meisters – FBX.
Gold, Silber, Brillanten. Email.
7,4 x 7,4 x 1,6 cm
Hauptsammlung der Eremitage (Juwelengalerie), früher
im Winterpalais.
In den Deckel ist ein Miniaturbildnis von Katharina II. in
Email eingelassen, umsäumt von Brillanten. Auf dem
Rand des Deckels, des Gehäuses und auf dem Boden Blu-
mengirlanden und Ornamentstreifen in Email.
E–4706
Staatliche Eremitage, Leningrad.

45   Tabaksdose

Petersburg (?), zweite Hälfte 18. Jh.
Gold, Rauchtopas, Brillanten. Gravur, Email.
7,8 x 4,3 x 3,1 cm
Hauptsammlung der Eremitage (Juwelengalerie), früher
im Winterpalais.
Gehäuse, Deckel und Boden aus Rauchtopas, verziert mit
geometrischem Ornament; gefaßte Brillanten und Orna-
mentstreifen in Email.
E–4189
Staatliche Eremitage, Leningrad.

46 Uhr mit Châtelaine

Petersburg, 1760er Jahre.
Gold, Silber, Brillanten. Email.
18,4 x 4,7 cm, ø der Uhr 4,6 cm
Hauptsammlung der Eremitage (Juwelengalerie).
E–4307
Staatliche Eremitage, Leningrad.

47 Uhr mit Châtelaine

Petersburg. 1770er Jahre bis 1784.
Meister Jean Pierre Ador.
Stempel des Meisters – I A in einer Krone.
Gold, Silber, Brillanten. Niello, Punzierung, Email.
18 x 5 cm, Ø der Uhr 4,7 cm
Hauptsammlung der Eremitage (Juwelengalerie), früher
im Winterpalais.
Uhr und Châtelaine verziert mit Trophäen, durchsetzt mit
Brillanten auf graviertem Hintergrund mit durchbroche-
nem Flechtwerk; an den Rändern goldenes Mäanderorna-
ment auf blauem Email. Die Zeiger der Uhr mit Brillanten
besetzt. Châtelaine aus fünf Gliedern mit zwei Anhängern,
ein Anhänger mit Schlüsselchen.
E–4282
Staatliche Eremitage, Leningrad.

48 Salzfaß

Moskau, 1801.
Stempel des unbekannten Meisters – N.H, Stempel der
Stadt Moskau mit Jahresstempel – 1801, Probe 84.

Gold, Silber, Brillanten. Treibarbeit, Gravur, Filigran,
Email.
17,6 x 11 cm
Hauptsammlung der Eremitage (Juwelengalerie), früher
im Winterpalais.
In Form eines Dreifußes, gekrönt mit einer von Brillanten
besetzten Krone und verziert mit einem Pflanzenornament
in Filigran auf blauem Email. An den drei Stirnflächen auf
blauem Email das Monogramm Alexanders I. – Doppeladler, Krone, Zepter und Reichsapfel, besetzt mit Brillanten. In den Boden graviert: „Von der Moskauer Kaufmannschaft, 2. September 1801".
E–4257
Staatliche Eremitage, Leningrad.

49 Briefbeschwerer

Rußland. 1830er – 1840er Jahre.
Malachit, Bronze. Mosaik, Vergoldung.
7,3 x 10,5 x 7,1 cm
Hauptsammlung der Eremitage.
Grundplatte aus Malachit, Griff in Form zweier verflochte-
ner Bronzekränze aus Eichen- und Lorbeerblättern.
ERKm–249
Staatliche Eremitage, Leningrad.

Kat. Nr. 48

Kat. Nr. 50, 49

Kat. Nr. 51–54

50 Glöckchen

Rußland. 1830er – 1840er Jahre.
Malachit, Quarz, Bronze. Mosaik, Vergoldung.
11,5 x 7,3 x 7,3 cm
Hauptsammlung der Eremitage.
Glöckchen aus Malachit, Griff aus Rosenquarz mit vergoldeter Bronze.
ERKm–252
Staatliche Eremitage, Leningrad.

51–54 Garnitur: Kamm, Halsband, Ohrgehänge

Petersburg. Mitte des 19. Jhs.
Schildpatt, Gold, Silber. Inkrustation.
Kamm: 16,7 x 13 cm; Halsband: 44,5 x 11 cm;
Ohrgehänge: 5 x 2,5 cm
Erworben 1961 für die Eremitage.
ERO–8923–8925
Staatliche Eremitage, Leningrad.

55 Streichholzschachtel

Mitte 19. Jh.
Schildpatt, Gold. Inkrustation.
7 x 3,5 x 1,6 cm
Erworben 1913 aus der Sammlung von F. M. Pljuschkin.

Verziert mit eingelegten Sternchen, in der Mitte des Feldes ein Wappenschild.
ERRs–598
Staatliche Eremitage, Leningrad.

56 Schmuckkästchen mit Schloß

Moskau, 1843.
Meister Wassilij Iwanow Popow.
Stempel des Meisters – ВП, Stempel der Stadt Moskau mit Jahresstempel – 1843 und Probe 84.
Silber, Stahl. Filigran, Treibarbeit.
6,8 x 11 x 9 cm
Erworben 1969 für die Eremitage.
Kästchen, verziert mit stilisiertem Pflanzenornament und Rosetten auf dem Deckel.
ERO–8975
Staatliche Eremitage, Leningrad.
Ausstellungen: Neuzugänge der Eremitage. 1966–1977.
Ausstellungskatalog. Leningrad, 1977, Nr. 508.

57 Tabakspfeife

Moskau. Mitte 19. Jh.
Silber, Bernstein, Meerschaum, Karneole, Holz. Filigran, Granulierung.
36,4 x 3,7 x 3,8 cm

Erworben 1913 aus der Sammlung von F. I. Pljuschkin.
Das Pfeifenrohr überzogen mit einem stilisierten silbernen Filigranornament.
ERRs–410
Staatliche Eremitage, Leningrad.

58 Vase

Moskau (?). Zweite Hälfte des 19. Jh.
Silber. Filigran, Treibarbeit.
20 x 16 x 16 cm
Erworben 1941 aus dem Staatlichen Ethnographischen Museum.
Durchbrochen, mit Filigrananhängern an Kettchen und aufgelegten Filigranblumen.
ERO–5041
Staatliche Eremitage, Leningrad.

59–61 Halsband und Ohrgehänge

Moskau (?). Zweite Hälfte 19. Jh.
Silber, Kupfer. Filigran, Granulierung.
51 x 4,3 cm (Halsband), 9,3 x 1,9 cm (Ohrgehänge).
Erworben 1941 aus dem Staatlichen Ethnographischen Museum.
Durchbrochenes Ohrgehänge mit drei Anhängern. Durchbrochenes Halsband mit Anhängern aus Rosetten und Kügelchen und einer Verzierung in Form eines Schmetterlings.
ERO–2255 a, b, 2312
Staatliche Eremitage, Leningrad.

Kat. Nr. 56

62-70 Neun Schachfiguren (aus verschiedenen Sätzen)

Tula, 1782.
Stahl, Bronze. Ziselierung, Brünierung, Silbertauschierung, Treibarbeit, Vergoldung.
Höhe 0,5 bis 10,5 cm
Hauptsammlung der Eremitage, früher im Winterpalais.
Weiß: Dame, Läufer, Springer und zwei Bauern; Schwarz: König, Läufer, Springer, Bauer.
ERM-4580, 4585, 4589, 4593, 4594, 4600, 4602, 4604, 4609
Staatliche Eremitage, Leningrad.

71 Schreibgarnitur

Tula. Ende 18. Jh.
Stahl, Bronze. Brünierung, Silber- und Kupfertauschierung, Vergoldung.
16 x 20 x 17,3 cm
Erworben 1969 für die Eremitage.
Ovale Grundplatte mit abnehmbarem Tintenfaß, Sandstreuer, Kerzenhalter und Vertiefungen für Schreibzubehör und Glöckchen. Verziert mit Rosengirlanden, Palmetten und Lorbeer aus vergoldeter Bronze, mit Akanthusgirlanden.
ERM-7701
Staatliche Eremitage, Leningrad.
Ausstellungen: The art of Russia. 1800-1850. Russische Kunst. An exhibition from the museums of the USSR. Minneapolis, 1978, Nr. 141; Kunstmetall in Rußland vom 17. Jh. bis Anfang des 20. Jhs. Ausstellungskatalog in der Eremitage. Leningrad, 1981, Nr. 94.

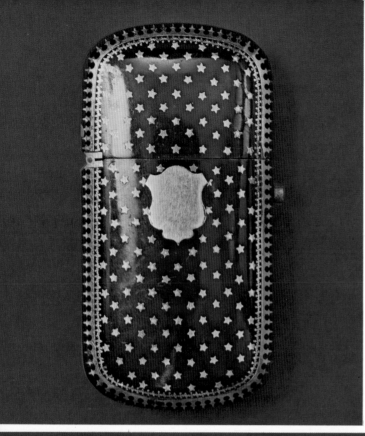

Kat. Nr. 55

Kat. Nr. 62–70

Kat. Nr. 58

Kat. Nr. 59–61

72   *Vierflammiger Tischleuchter*

Tula. Ende 18. Jh.
Stahl, Bronze. Ziselierung, Treibarbeit, Brünierung, Vergoldung.
26,5 x 12 x 12 cm
Erworben 1950 für die Eremitage.
Kannelierte Säule mit vier Kerzenhaltern geziert mit blaubrünierten Girlanden, eingesetzten Cabochons, getriebenem Mäander, Girlanden aus geschliffenen Stahlkügelchen.
ERM–981
Staatliche Eremitage, Leningrad.
Ausstellung: Kunstmetall in Rußland 17. Jh. bis Anfang des 20. Jhs. Ausstellungskatalog in der Eremitage. Leningrad, 1981, Nr. 80.

73   *Schmuckkästchen*

Tula. Ende 18. Jh.
Meister Rodion Leontjew.
Auf der Grundplatte die Signatur: Тула М Радионъ Леонътевъ.
Stahl, Bronze, Samtstoff. Ziselierung, Brünierung, Treibarbeit, Vergoldung.
18,5 x 27,5 x 19,2 cm
Hauptsammlung der Eremitage (Juwelengalerie), früher im Winterpalais.
In Form eines antiken Sarkophags auf rechteckiger Grundplatte mit Urnenaufsätzen, Girlanden, Lorbeerkränzen, Akanthus und Rosetten aus vergoldeter Bronze.
ERM–2170
Staatliche Eremitage, Leningrad.

74   Spiegel mit Schmuckschatulle

Tula, um 1801.
Stahl, Bronze. Brünierung, Vergoldung.
7 x 32 x 18 cm
Hauptsammlung der Eremitage (Juwelengalerie), früher im Winterpalais.
Ovaler Spiegel im Rahmen auf einem Untersatz in Form einer Schatulle; dekoriert mit Rosengirlanden, Lorbeer und ovalen Palmetten und Akanthus. Auf dem Rahmen das Monogramm IMF im Kreis. Der Spiegel wurde 1801 der Kaiserin Marija Fjodorowna geschenkt.
ERM–7498
Staatliche Eremitage, Leningrad.
Ausstellungen: Kunstmetall in Rußland 17. Jh. bis Anfang des 20. Jhs. Ausstellungskatalog in der Eremitage. Leningrad, 1981, Nr. 118.

75   Tisch

Tula. Um 1801.
Stahl, Bronze. Brünierung, Inkrustation, Vergoldung.
77 x 55,5 x 38 cm
Hauptsammlung der Eremitage (Juwelengalerie), früher im Winterpalais.
Rechteckig, auf vier kannelierten Beinen, Verbindung der Tischbeine bogenförmig, mit einer Vase gekrönt. Verziert mit Girlanden in vergoldeter Bronze, Rosetten und Inkrustation.
ERM–7497
Staatliche Eremitage, Leningrad.

76   Kindersäbel

Tula. 1780.
Stahl, Samt. Durchbrochene Treibarbeit, Brünierung, Tauschierung.
45 cm (Säbel), 36 cm (Scheide)
Hauptsammlung der Eremitage, früher im Rüsthaus Zarskoselskij.
Auf dem Klingenheft tauschierte Abbildungen des hl. Georg und des Wappens der Stadt Tula sowie die Jahreszahl „1780". Der Abschluß des Griffes in Form eines Vogelkopfes; auf dem Kreuzstück das Monogramm „AR" unter einer Krone. Die Scheide mit grünem Samt bezogen, die Fassung mit einem Ornament verziert.
Dem Großfürsten Aleksandr Pawlowitsch im Jahre 1780 als Geschenk überreicht.
30–4661
Staatliche Eremitage, Leningrad.
Ausstellungskatalog der Eremitage. Leningrad, 1981, Nr. 144.

77   Degen

Sestrorezk. 1752.
Stahl, Karneol, Silber. Gravur, Ätzung, Vergoldung.
Länge 89 cm
Hauptsammlung der Rüstkammer.
Griff aus Karneol, Griffkorb und Kreuzstück aus Silber, teilweise vergoldet; auf der Klinge vergoldetes Ornament und Aufschriften: „Im Jahre 1762", „Es lebe Elisabeth die Große", „Gott und Vaterland".
Or–4000
Staatliche Museen des Moskauer Kremls.

Kat. Nr. 79–83

78 Säbel

Slatoust. 1824.
Meister Iwan Nikilajewitsch Buschuew.
Auf die Scheide graviert: I. Buschuew. Slatoust. 1824.
Stahl, Bronze, Samt, Elfenbein. Brünierung, Vergoldung,
Gravur, Ätzung, Niello.
93 cm (Säbel), 77 cm (Scheide)
Hauptsammlung der Eremitage, früher im Rüsthaus Zarskoselskij.
Auf der Klinge beiderseitig auf brüniertem Hintergrund
Bilder von Waffen schmiedenden Amouretten sowie alle-
gorische Figuren, Greife, Ornament aus Akanthus und Palmetten. Handgriff geschmückt mit Elfenbein, bekrönt mit
einem Bronzekopf des Herakles, Scheide mit blauem Samt
bezogen, Fassung aus Stahl mit vergoldeter Bronze, verziert
mit geprägtem und graviertem Ornament.
1824 Kaiser Alexander I. geschenkt.
30–7023
Staatliche Eremitage, Leningrad.
Ausstellungen: The art of Russia. 1800–1850. Russische
Kunst. An exhibition from the museums of the USSR.
1978. Minneapolis, Nr. 135.

79–83 Teeservice: Schale, Zuckerdose, Teekanne, Sahnekännchen, Zwiebackkörbchen

Moskau. Petersburg. 1840er Jahre.
Firma Sasikow.
Silber, Bein. Gravur, Vergoldung.
Hauptsammlung der Eremitage, früher im Winterpalais.

79 Schale

Stempel des unbekannten Meisters – FG, des Eichmeisters
D. I. Twerskoj – Д·Т 1846, Stempel der Stadt Petersburg,
Probe 84.
4,3 x 26 x 32 cm
ERO–5011 a–d

80 Zuckerdose

Stempel der Firma – Сазиковъ, des Eichmeisters
N. D. Dubrowin – Н·Д 1840, Stempel der Stadt Moskau,
Probe 84.
15,5 x 15,7 x 25 cm
ERO–5014 a, b

81 Teekanne

Stempel der Firma – Сазиковъ, des Eichmeisters
N. D. Dubrowin – Н·Д 1840, Stempel der Stadt Moskau,
Probe 84.
15,5 x 15,7 x 25 cm
ERO–5013

82 Sahnekännchen

Stempel der Firma – Сазиковъ, des Eichmeisters
N. D. Dubrowin – Н·Д 1840, Stempel der Stadt Moskau,
Probe 84.
16,5 x 11,2 x 15,5 cm
ERO–5016

83 Zwiebackkörbchen

Stempel des unbekannten Meisters – FG, des Eichmeisters
D. I. Twerskoj – Д·Т 1840, Stempel der Stadt Petersburg
und Probe 84.
20,4 x 26 x 4,3 cm
Alle Gegenstände sind mit einer Rocaille geschmückt.
ERO–5017
Staatliche Eremitage, Leningrad.
Ausstellung: Nr. 80–82. The art of Russia. 1800–1850. An
exhibition from the Museums of the USSR. 1978. Min-
neapolis. N 140.

Kat. Nr. 74, 75

84 Broschenuhr in Tulpenform

Rußland. 1860er Jahre.
Gold, Stahl, Glas. Email.
10 x 5 cm
1924 aus dem Staatlichen Museumfonds erworben.
Châtelaine in Form goldener Blätter; Blume mit einer
Deckschicht aus Email.
ERO–6196
Staatliche Eremitage, Leningrad.

85 „Marienkäfer"-Uhr

Petersburg. Ende 19. Jh. bis Anfang 20. Jh.
Gold, Edelsteine, Stahl, Glas. Email.
6,1 x 3 x 1,7 cm
1924 aus dem Staatlichen Museumfonds erworben.
Die Uhr befindet sich unter den mit rotem und schwarzem
Email verzierten Flügeln.
ERO–6190
Staatliche Eremitage, Leningrad.
Ausstellungen: Angewandte Kunst vom Ende des 19. Jhs.
bis Anfang des 20. Jhs. Ausstellungskatalog in der Staat-
lichen Eremitage. Leningrad, 1974, Nr. 15.

86 Parfümfläschchen

Rußland. Ende 19. Jh.
Gold. Email.
5,4 x 3,5 cm
1924 aus dem Staatlichen Museumfonds erworben.

Verziert mit einem stilisierten Pflanzenornament in Email.
ERO–5887
Staatliche Eremitage, Leningrad.

87   Schminkgefäß

Rußland. Ende 19. Jh.
Gold, Smaragd, Rubin. Email.
2,2 x 3,1 cm
1924 aus dem Staatlichen Museumfonds erworben.
Verziert mit einem Blumenornament in Email; aufklapp-
barer Deckel, innen ein zweiter, durchbrochener Deckel.
ERO–5886
Staatliche Eremitage, Leningrad.

88   Kelch

Moskau. 1901.
Fabrik von A. I. Kusmitschew.
Stempel der Fabrik – А. Кузмичевъ, des Meisters – АК,
Stempel der Eichkammer des Moskauer Gebiets mit den
Initialbuchstaben des Verwalters I. Lebedkin – И Л und
Probe 56.
Gold, Edelsteine. Treibarbeit, Gravur.
31 x 20 cm
Überwiesen im Jahre 1951 aus der Staatlichen Wertsachen-
Kammer (Moskau).
Verziert mit graviertem Pflanzenornament. Auf der Schale
vier reliefierte Medaillons, eingerahmt von Brillanten und
Rubinen, mit Darstellungen von Jesus, Maria, Jesus und Jo-
hannes dem Täufer. Am Fuß vier ovale Medaillons: „Ein-
setzung des Abendmahles", „Kreuztragung", „Kreuzabnah-
me", „Grablegung". Die Schenkungsinschrift besagt, daß
der Kelch vom Abt des Klosters Troitze-Sergiewa Lawra,
dem Archimandriten Pawel, der Klause Sossimowa am
25. Dezember 1901 gestiftet wurde.
ERO–8187
Staatliche Eremitage, Leningrad.
Ausstellungen: Kunstmetall in Rußland vom 17. Jh. bis Anfang des 20. Jhs. Leningrad, 1981, Nr. 557.

Kat. Nr. 76 ▷

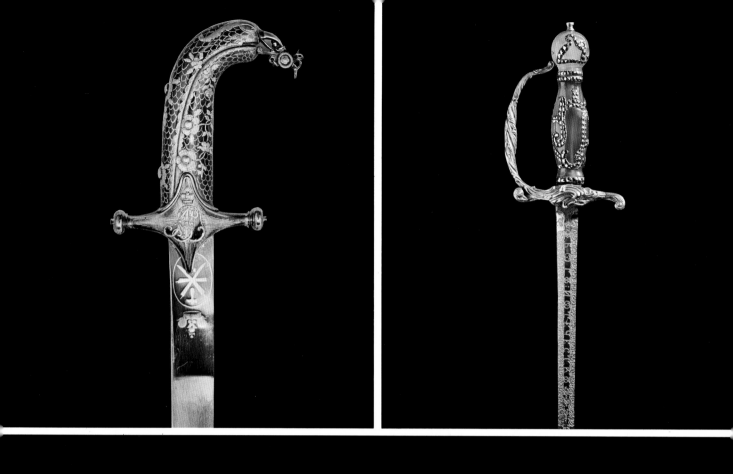

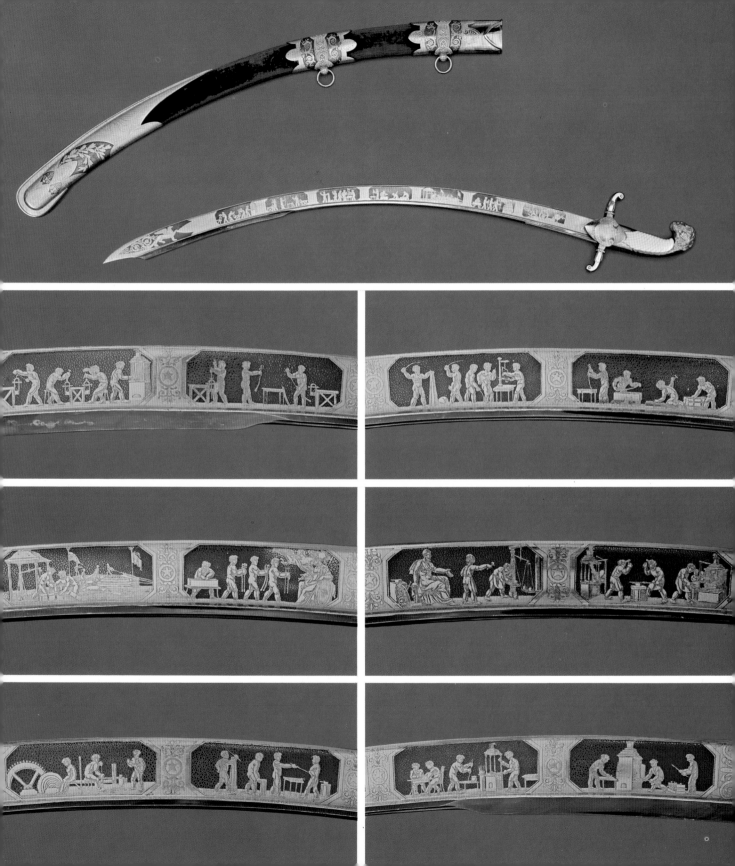

89 *Gürtel*

Moskau. 1896–1908.
Meister Nikolai Nikolajewitsch Swerew.
Stempel des Meisters – H 3, Stempel der Eichkammer des
Moskauer Gebiets mit den Initialbuchstaben des Verwal-
ters I. Lebedkin – И Л und Probe 84.
Silber, Kupfer. Email, Filigran.
71,5 x 7 cm
Erworben 1976 für die Eremitage.
Der Gürtel besteht aus 28 Gliedern, ornamentiert mit
einem Emailmuster aus Rosetten und Schnörkeln und
einer ovalen Schnalle, welche mit einem dolchförmigen
Stift verschlossen wird.
ERO–9119
Staatliche Eremitage, Leningrad.
Ausstellungen: Kunstmetall in Rußland vom 17. Jh. bis An-
fang des 20. Jhs. Leningrad, 1981, Nr. 506.

90 *Kelle (Kovsch)*

Moskau. 1896–1908.

Meister Wassiliji Semenow Agafonow.
Stempel des Meisters – BA, Stempel der Eichkammer des
Moskauer Gebiets mit den Initialbuchstaben des Verwal-
ters I. S. Lebedkin – И Л und Probe 88.
Silber. Filigran, Email, Punzierung.
5 x 13,2 x 8 cm
Erworben 1981 für die Eremitage.

◁ Kat. Nr. 77

Verziert mit einem Pflanzenornament in Filigran und Email und einem aufgelegten Monogramm „A O" unter einer Krone; auf dem Boden graviertes Datum einer Schenkung – 19 XI 1927.
ERO–9299
Staatliche Eremitage, Leningrad.

Zweig und Beeren aus Gold, überzogen mit rotem Email; Blätter aus Nephrit, Glas aus Bergkristall.
ERO–6157
Staatliche Eremitage, Leningrad.
Ausstellungen: Angewandte Kunst Ende des 19. Jhs. bis Anfang des 20. Jhs. Ausstellungskatalog in der Eremitage. Leningrad, 1974, Nr. 18.

91   *Bowlengefäß*

Moskau. 1896–1908.
Firma von Pawel Akimow Owtschinnikow.
Stempel der Firma – П. Овчинниковъ, Stempel der Eichkammer des Moskauer Gebiets mit den Initialbuchstaben des Verwalters I. Lebedkin – И Л und Probe 84.
Silber. Filigran, Email.
20 x 21,8 x 13,5 cm
Erworben 1958 für die Eremitage.
Geschmückt mit einem stilisierten Pflanzenornament und Vögeln in Email und Filigran.
ERO–8878
Staatliche Eremitage, Leningrad.

92   *Zweig roter Johannisbeeren in einer Vase*

1880er Jahre.
Firma Fabergé.
Gold, Nephrit, Bergkristall. Email.
Höhe   10 cm
Überwiesen 1924 aus dem Staatlichen Museumsfonds.

Kat. Nr. 86, 87

◁ Kat. Nr. 84, 85

99

93 Kartenspielgarnitur (Vier Bürstchen und vier Kreidestifthalter)

Petersburg. 1896–1903.
Firma Fabergé. Meister Julij Aleksandrowitsch Rappoport.
Stempel der Firma – Фаберже, des Meisters – I. P, der Eichkammer der Stadt Petersburg mit den Initialbuchstaben des Eichinspektors J. Ljapunow – Я Л und die Probe 88.
Silber, Rhodonit. Treibarbeit.
Maße: Runde Bürstchen: 3,1 x 5,2 cm; Kreidestifthalter: 8,3 x 1,6 x 1,8 cm; 8,8 x 1,6 x 1,6 cm; 8,7 x 1,6 x 1,6 cm (zweimal).
Erworben im Jahre 1958 für die Eremitage.
Die silberne Fassung aller Gegenstände ist mit einer Rocaille und einem neoklassizistischen Ornament, sowie mit Rhodonit verziert. Das hölzerne Etui mit der Marke der Firma Fabergé.
ERO–8864–8871
Staatliche Eremitage, Leningrad.

94–95 Zwei Elefantenbecher

Petersburg. 1896–1903
Firma Fabergé. Meister Michail Perchin und Heinrich Wigstrem.
Stempel der Firma – Фаберже, der Meister МП und HW, der Eichkammer der Stadt Petersburg mit den Initialbuchstaben des Eichinspektors J. Ljapunow – Я Л und die Probe – 88.
Silber, Rubine. Gegossen.
3,8 x 5,5 x 5 cm; 3,9 x 4,9 x 5 cm
Erworben 1961 für die Eremitage.
ERO–8964–8965
Staatliche Eremitage, Leningrad.

96   *Delphin-Aschenbecher*

Petersburg. Ende 19. Jh.–Anfang 20 Jh.
Firma Fabergé. Meister Julij Aleksandrowitsch Rappoport.
Stempel der Firma – Фаберже, des Meisters –I.P., Stempel
der Stadt Petersburg und die Probe 88.
Silber. Guß, Treibarbeit, Vergoldung.
8,4 x 14,5 x 6,5 cm
Erworben 1966 für die Eremitage.
Ausstellungen: Neuzugänge der Eremitage. 1966–1977,
Ausstellungskatalog. Leningrad, 1981, Nr. 519.
ERO–8962
Staatliche Eremitage, Leningrad.

Stempel: der Firma – Фаберже, des Meisters – I P, Stempel
der Stadt Petersburg und die Probe 88.
Silber. Gravur, Vergoldung.
23,2 x 15,6 x 25 cm
Überwiesen im Jahre 1924 aus dem Staatlichen Museums-
fonds.
ERO–5001
Staatliche Eremitage, Leningrad.

97   *Zigarettenetui*

Petersburg. Anfang 20. Jh.
Firma Fabergé.
Stempel der Firma – Фаберже.
Bergkristall, Platin, Silber. Gravur.
8,8 x 4,8 x 2,2 cm
Erworben 1981 für die Eremitage.
Verziert mit gravierten Grotesken.
ERO–9294
Staatliche Eremitage, Leningrad.

98   *Krug in Form eines Bibers*

Petersburg. Ende 19. Jh.–Anfang 20. Jh.
Firma Fabergé. Meister Julij Aleksandrowitsch Rappoport.

Kat. Nr. 88 ▷

Kat. Nr. 90

Kat. Nr. 91

99 Deckelkanne

Petersburg. Ende 19. Jh.
Firma Fabergé. Meister Anders Johann Nevalainen.
Stempel: der Firma – Фаберже, des Meisters – A. N, Stempel der Stadt Petersburg und die Probe 88.
Silber. Gravur, Emaille, Guillochierung.
9,3 x 11 x 7,3 cm
Erworben 1956 für die Eremitage.
Gefäß und Deckel mit blauem Email auf guillochiertem Hintergrund und Münzen (18. Jh.) verziert.
ERO-8856
Staatliche Eremitage, Leningrad.

100 Deckelschale in Form einer Fliege

Ende 19. Jh.–Anfang 20. Jh.
Firma Fabergé. Karneol. Gold. Treibarbeit.
Höhe 6 cm
Überwiesen in den Jahren 1922–1924 aus Schloßbesitz.
DK–88/1–2
Staatliche Museen des Moskauer Kremls.

101 Fisch

Ende 19. Jh.–Anfang 20. Jh.
Firma Fabergé.
Karneol. Treibarbeit.
Höhe 12,5 cm
Überwiesen in den Jahren 1922–1924 aus Schloßbesitz.
DK–86
Staatliche Museen des Moskauer Kremls.

102 Mops

Petersburg. Ende 19. Jh.–Anfang 20. Jh.
Firma Fabergé.
Topas, Saphire, Gold. Treibarbeit.
Überwiesen in den Jahren 1922–1924 aus Schloßbesitz.
Figur aus goldfarbenem Topas; Anhänger an goldenem Halsband und Augen aus Saphir.
DK–84
Staatliche Museen des Moskauer Kremls.

Kat. Nr. 92

Kat. Nr. 97

◁ Kat. Nr. 99

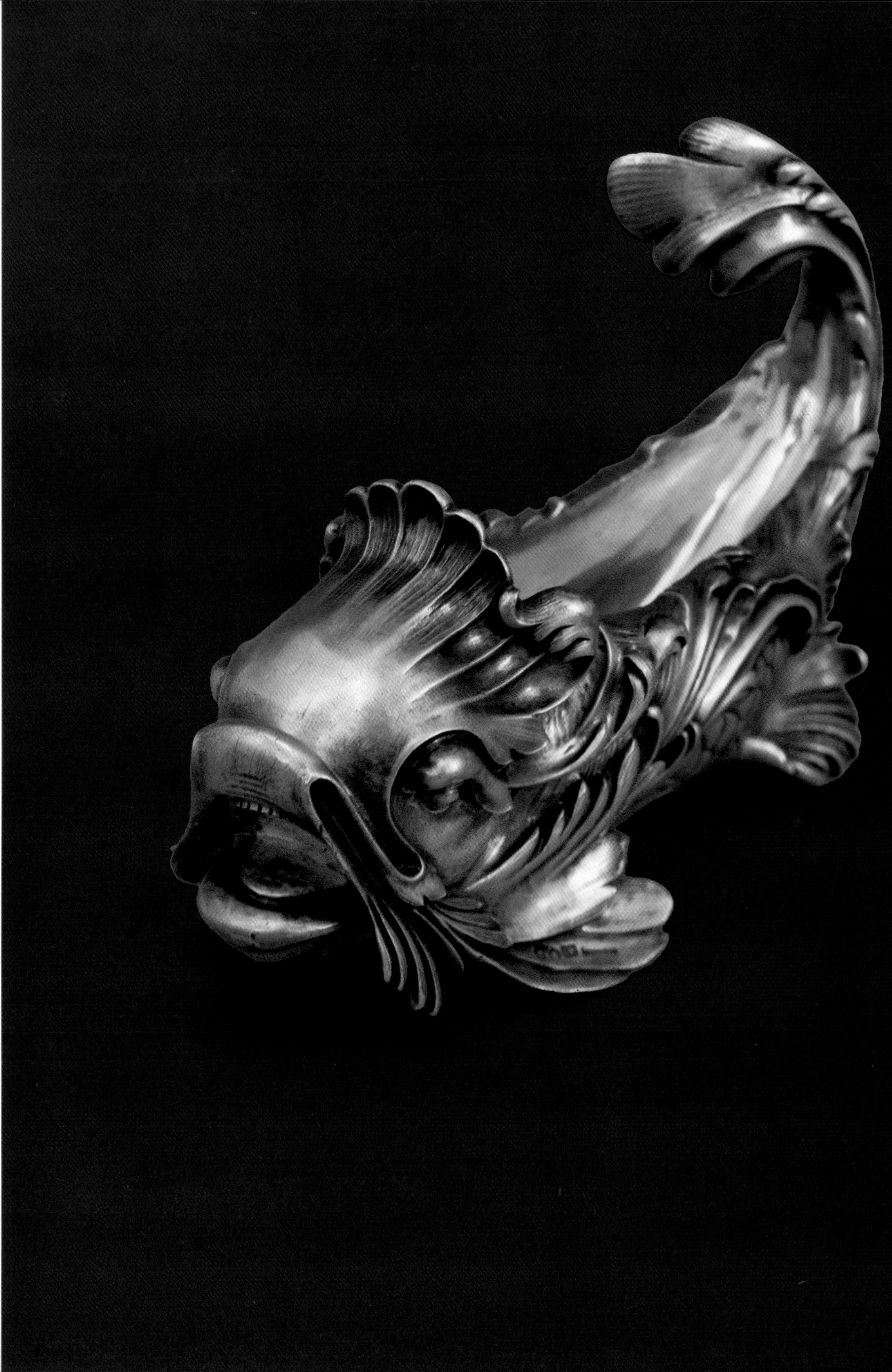

Kat. Nr. 96

Kat. Nr. 106

Kat. Nr. 104

Kat. Nr. 107 ▷

113

103 Schale

Soljwitschegodsk. Letztes Viertel 17. Jh.
Silber. Filigran, Email, Vergoldung.
4,8 x 14,7 cm
Überwiesen aus der Patriarchen-Sakristei im Jahre 1920.
Auf dem Boden das Bild eines Jünglings mit Blumen in der
Hand, am Rande Blumengirlanden auf weißem Hintergrund. Auf der Rückseite Fische und ein Delphin.
MR–1233
Staatliche Museen des Moskauer Kremls.
Ausstellung: L'URSS et la France. Les Grands Moments
d'une tradition, Paris, 1974–75.

104 Klappikone der „Gottesmutter der Rührung" (Elëusa)

Moskau. Kreml-Werkstätten. Erstes Drittel 17. Jh.
Gold, Silber, Edelsteine, Perlen, Holz.
Email, Treibarbeit, Vergoldung.
Höhe 30 cm, Breite mit geöffneten Flügeln 33 cm
Überwiesen aus dem Kloster Sinokow im Jahre 1918.
Krone und Heiligenschein der Gottesmutter mit Email und
Edelsteinen geschmückt. Auf dem Beschlag vielfarbiges
Pflanzenornament in Email. Im kielförmigen Abschluß der
Ikone die Darstellung Gottvaters, auf den Innenseiten der
Flügel Bilder der Erzengel Michael und Gabriel. Auf der
Rückseite der Flügel nennt eine Inschrift den Besitzer, den
Amtmann Iwan Kirillowitsch Grjasew.
Sh–1761/1–3
Staatliche Museen des Moskauer Kremls.
Ausstellungen: L'URSS et la France. Les Grands Moments
d'une tradition, Paris, 1974–75.

105 Schale mit Deckel

Moskau. Kreml-Werkstätten. 1694.
Gold, Edelsteine. Email, Guß.
10,4 x 10,1 cm
Hauptsammlung der Rüstkammer.
Verziert durch Auflagen von Edelsteinen und Emailbildern
mit Vögeln. Am oberen Rand belegt eine Inschrift, daß die
Schale vom Zaren Peter I. seinem Sohn, dem Zarewitsch
Aleksej, übereignet wurde.
MR–3367/1–2
Staatliche Museen des Moskauer Kremls.

106 Kästchen

Soljwitschegodsk, letztes Viertel 17. Jh.
Silber, Spiegelglas, Email, Filigran, Vergoldung.
7 x 9 cm
Überwiesen in den Jahren 1922–24.
Verziert mit vielfarbigem Blumenmuster in Email auf vergoldetem Hintergrund. Auf dem oberen Teil des Deckels
Vögel, innen Blumenmalerei auf weißem Grund. In den
Deckel ist ein Spiegel eingelassen.
MR–1231
Staatliche Museen des Moskauer Kremls.
Ausstellungen: Altrussische Kunst. Tokio. 1964. L'art russe
des Scythes á nos jours, Paris, 1967–68. Soviet Union. Arts
and Crafts in Ancient Times and Today, USA, 1972. Ausstellung altrussischer Kunst. Budapest, 1973.

107 *Milchkrug*

Tobolsk. 1775.
Stempel der Stadt Tobolsk, des Meisters-Monogrammisten ПШ und der Stempel des Eichmeisters L. Wlassow mit Jahreszahl 1775 Л. B.
Silber, Holz. Niello, Vergoldung.
Höhe   17 cm
Überwiesen 1924 aus der Staatlichen Wertsachen-Kammer.
Auf dem Krug in niellierten Rocaillekartuschen galante Szenen, in der Kartusche unter dem Ausguß Monogramm unter einer Krone. Der Milchkrug gehört zu einem Service aus dem Besitz des Gouverneurs von Sibirien D. I. Tschitscherin.
MR–587
Staatliche Museen des Moskauer Kremls.
Ausstellungen: Russisches Gold- und Silberhandwerk 18. Jh. bis Anfang 20. Jh. Moskau. 1977.

Email

Durch Metalloxyde eingefärbter Glasfluß, der zu Dekorationszwecken auf einen Untergrund, meistens Metall, aufgeschmolzen wird. Beim *Grubenemail* wird das Email in aus dem Metallgrund ausgehobene Vertiefungen eingelassen. Im 15. Jahrhundert kommt das *Maleremail* auf, mit dem durch vielfältig abgestufte Farben, die in verschiedenen Brennvorgängen aufgetragen werden, gemäldeartige Wirkungen erzielt werden können.

Filigran

Verzierung aus dünnen Gold- oder Silberdrähten. Das ornamentale Drahtgeflecht ist entweder auf einen Metalluntergrund aufgelötet, der mit feinen Gold- oder Silberkörnern bedeckt ist, oder es wird freistehend ohne Untergrund, einem spitzen Muster ähnlich, gebildet.

Gravieren

Das Einschneiden von linearen Zeichnungen in die Metalloberfläche mit Grabstichel oder Graviernadel.

Niello

Schwarz eingefärbte Gravur. In die Gravur wird Niellomasse (eine Mischung aus Silber, Kupfer, Blei, Schwefel und Borax) eingeschmolzen, so daß die Zeichnung sich als schwarzes Linienmuster von dem polierten Grund abhebt.

Tauschierung

Einlegearbeit von Gold- oder Silberdrähten bzw. -blechen auf unedlen Metallen (Bronze oder Eisen). Zwei Verfahren waren gebräuchlich:
a) in eine mit dem Grabstichel ausgehobene Rille werden Edelmetalldrähte eingehämmert,

b) die Stellen, die das Muster aufnehmen sollten, wurden durch Feilen aufgerauht und dann mit dünnen Edelmetallblechen beschlagen, die an den rauhen Stellen haften blieben.

Treibarbeit

Das Modellieren von Metallgegenständen durch Bearbeiten mit dem Hammer (Treibhammer). Die Treibarbeit wird an kalten, dünnen Metallblechen stets von der Rück- bzw. Innenseite des späteren Gegenstandes her ausgeführt. Das Treiben erfolgt auf einer nachgebenden Unterlage (Mischung aus Pech- und Ziegelmehl, das sogenannte Treibpech) oder über einem Formmodell.

Ziselieren

Das Herausheben von Ornamenten aus dem kalten Metallgegenstand mit Feile, Stichel, Punzen (Metallstempel) und anderen Geräten.

Literaturverzeichnis

Alle Titel in russischer Sprache

Sabelin, I. E., Das häusliche Leben der russischen Kaiserinnen im 16.–17. Jh. Moskau, 1901.

Felkersam, A. E., Inventarliste des Silbers Seiner Kaiserlichen Majestät, Sankt Petersburg, 1907.

Sabelin, I. E., Das häusliche Leben der russischen Zaren im 16.–17. Jh. Moskau, 1915.

Sammelband der Rüstkammer. Moskau, 1925.

Troitzkij, W. I., Wörterbuch der Moskauer Meister des Gold-, Silber- und Diamantenhandwerks. 17. Jh. Moskau–Leningrad, 1930.

Postnikowa-Lossewa, M. M., Russische silberne und goldene Kellen. Moskau, 1953.

Staatliche Rüstkammer des Moskauer Kremls. Moskau, 1954.

Geschichte der russischen Kunst. Bde. III–VIII. Moskau, 1955–1964.

Die Rüstkammer. Moskau, 1964.

Russische dekorative Kunst. Bde. 1–3, Moskau, 1962–1965.

Golberg, T., Mischukow, F., Platonowa, N., Postnikowa-Lossewa, M., Russisches Gold- und Silberhandwerk im 15.–19. Jh. Moskau, 1967.

Lartschenko, M. N., Russische Waffen des 17. Jhs. Moskau, 1971.

Rodimzewa, I. A., Schmuckwaren der Firma Fabergé. Moskau, 1971.

Postnikowa-Lossewa, M. M., Platonowa, N. G., Uljanowa, B. L., Russische Kunst des Schwärzens. Moskau, 1972.

Martinowa, M. W., Edelsteine in der russischen Juwelierkunst im 12.–17. Jh. Moskau, 1973.

Pissarskaja, L., Platonowa, N., Uljanowa, B., Russische Emaillen des 11.–19. Jhs. Moskau, 1974.

Postnikowa-Lossewa, M. M., Russische Juwelierkunst, ihre Zentren und Meister. Moskau, 1974.

Bernjakowitsch, S. A., Schmuckwaren der Firma Fabergé. Neuzugänge. Mitteilungen der Staatlichen Eremitage. Nr. 38. Leningrad, 1974, S. 82–83.

Goldschmiede aus Tula. Zusammenstellung von Maltschenko, M. D., Leningrad, 1974.

Pawlowskij, B., Dekorative und angewandte Kunst im industriellen Ural. Moskau, 1975.

Bernjakowitsch, S. A., Russisches Kunstsilber des 17. bis Anfang des 20. Jhs. Leningrad, 1977.

Nenarokomowa, I. S., Die Staatlichen Museen des Moskauer Kremls. Moskau, 1977.

Staatliche Eremitage. Denkmäler der russischen Kunstkultur des 10. bis Anfang des 20. Jh. Autor des Leitartikels Komelowa, G. N., Moskau, 1979.

Postnikowa-Lossewa, M., Russische goldene und silberne Filigranarbeit. Moskau, 1981.

СПИСОК ОСНОВНОЙ ЛИТЕРАТУРЫ

Забелин И. Е. Домашний быт русских цариц в XVI–XVII столетиях. М., 1901.

Фелькерзам А. Е. Описи серебра Его Императорского Величества. СПб., 1907.

Забелин И. Е. Домашний быт русских царей в XVI–XVII столетиях. М., 1915.

Сборник Оружейной палаты. М., 1925.

Троицкий В. И. Словарь московских мастеров золотого, серебряного и алмазного дела. XVII в. М-Л., 1930.

Постникова-Лосева М. М. Русские серебряные и золотые ковши. М., 1953.

Государственная Оружейная палата Московского Кремля. М., 1954.

История русского искусства. тт. III–VIII. М., 1955-1964.

Оружейная палата. М., 1964.

Русское декоративное искусство. тт. 1–3, М., 1962–1965.

Гольберг Т., Мишуков Ф., Платонова Н., Постникова-Лосева М., Русское золотое и серебряное дело XV–XIX веков. М., 1967.

Ларченко М. Н. Русское оружие XVII века. М., 1971.

Родимцева И. А. Ювелирные изделия фирмы Фаберже. М., 1971.

Постникова-Лосева М. М., Платонова Н. Г., Ульянова Б. Л., Русское черневое искусство. М., 1972.

Мартынова М. В. Драгоценные камни в русском ювелирном искусстве XII–XVIII веках. М., 1973.

Писарская Л., Платонова Н., Ульянова Б., Русские эмали XI–XIX вв. М., 1974.

Постникова-Лосева М. М., Русское ювелирное искусство, его центры и мастера. М., 1974.

Бернякович З. А. Ювелирные изделия фирмы Фаберже. Новые поступления. Сообщения Государственного Эрмитажа. № 38. Л., 1974, с. 82–83.

Тульские златокузнецы. Автор-составитель Малченко М. Д., Л., 1974.

Павловский Б. Декоративно-прикладное искусство промышленного Урала. М., 1975.

Бернякович З. А. Русское художественное серебро XVII - начала XX века. Л., 1977.

Ненарокомова И. С. Государственные музеи Московского Кремля. М., 1977.

Государственный Эрмитаж. Памятнико русской художественной культуры X - начала XX веков. Автор вступительной статьи Комелова Г. Х. М., 1979.

Постникова-Лосева М. Русская золотая и серебряная скань. М., 1981.